D0830892

Les jeux
sont faits

Éléonore Mainguy

Les jeux sont faits

Confessions d'une ex-croupière

Stanké
QUEBECOR MEDIA

Catalogage avant publication de Bibliothèque et Archives Canada

Mainguy, Éléonore

Les jeux sont faits : confessions d'une ex-croupière

Autobiographie.

ISBN 978-2-7604-1042-8

1. Mainguy, Éléonore. 2. Société des casinos du Québec. 3. Jeux de hasard – Comportement compulsif – Québec (Province). 4. Croupiers – Québec (Province) – Biographies. I. Titre.

HV6722.C33Q4 2007   306.4'82092   C2007-940014-0

Infographie et mise en pages : Luc Jacques
Maquette de la couverture : Tania Jimenez

Certains noms et détails ont été modifiés afin de préserver l'anonymat des personnes en cause.

Remerciements

Les Éditions internationales Alain Stanké reconnaissent l'aide financière du gouvernement du Canada par l'entremise du Programme d'aide au développement de l'industrie de l'édition (PADIÉ) pour ses activités d'édition. Nous remercions le Conseil des Arts du Canada et la Société de développement des entreprises culturelles du Québec (SODEC) du soutien accordé à notre programme de publication. Gouvernement du Québec – Programme de crédit d'impôt pour l'édition de livres – gestion SODEC.

Les Éditions internationales Alain Stanké
Groupe Librex
La Tourelle
1055, boul. René-Lévesque Est
Bureau 800
Montréal (Québec) H2L 4S5
Tél. : 514 849-5259
Téléc. : 514 849-1388

Dépôt légal – Bibliothèque et Archives nationales du Québec, 2007

ISBN : 978-2-7604-1042-8

Diffusion au Canada :
Messageries ADP
2315, rue de la Province
Longueuil (Québec) J4G 1G4
Téléphone : 450 640-1234
Sans frais : 1 800 771-3022

Diffusion hors Canada : Interforum

Préambule

J'ai grandi dans une famille syndicaliste et indépendantiste. Bleue, bord en bord. Encore sous le charme du *Refus global* et de la loi 101, ma famille chérissait les valeurs du retour aux sources et du Flower Power. Le discours des adultes autour de la table critiquait constamment le système. « Le gouvernement est un exploiteur! » répétait mon papa en refaisant sans cesse son budget. « Le capitalisme vole les pauvres et pour s'en sortir il faut faire partie de la "gamique". » Papa, qui s'était résigné à « vendre sa terre pour devenir fonctionnaire* », s'était accroché à ces principes profonds bien qu'il se soit conformé aux valeurs de la société des années quatre-vingt. À l'époque, les discours rediffusés de René Lévesque devinrent l'écho de ma rébellion, dans ma tête d'enfant. Je me fis la promesse de ne jamais faire partie de la « gamique ».

---

* Inspiré d'une phrase de la chanson *Dégénération*, du groupe Mes Aïeux.

Puis j'ai vieilli… Je suis devenue une adolescente indocile qui aimait parler fort. Je rêvais de refaire le monde, à ma manière. Cette confiance en moi m'a fait croire que je serais à l'abri de l'endoctrinement de notre système économique. J'avais la ferme conviction que jamais rien ni personne ne m'assimilerait. Et pourtant, j'en suis arrivée là.

CHAPITRE 1

La grande illusion

Ce jour-là, mon père rentra du bureau à la même heure que tous les jours de la semaine. Il m'apportait un document qui allait changer le cours de ma vie. Ce document, c'était une offre d'emploi au Casino de Charlevoix. C'est parfait! me suis-je dit. Je revenais fauchée et affamée d'un long voyage en Colombie-Britannique. Partie bien mal accompagnée rejoindre des amis qui n'en étaient pas, je suis revenue seule avec la promesse de ne plus jamais m'entourer de gens malheureux qui pourraient nuire à mon bonheur. Je portais en moi les espoirs d'une vie riche, saine. Une vie qui me permettrait de grandir et de me rapprocher de la perfection. Je croyais en moi plus que jamais. C'était le moment d'entrer dans le système et de mettre fin à l'insécurité financière. Je voyais en ce poste le salut, la fin des temps durs. Je décidai qu'y travailler, ce serait ma nouvelle ambition.

J'avais tout ce qu'il fallait : le profil et l'énergie qui me poussaient vers le défi et l'inconnu. Alors, j'ai envoyé mon C.V.

Quelques semaines plus tard, on me convoquait pour le poste de croupière, rien de moins. L'emploi le plus prestigieux, le plus mystérieux, le plus ambitieux qu'un casino puisse offrir.

Le matin de la première journée de l'aventure, mon père prit congé pour m'accompagner. Nous bravâmes la tempête sur les routes sinueuses et montagneuses de la belle région de Charlevoix pour nous rendre à l'auberge Au Petit Berger à Pointe-au-Pic, où j'arrivai juste à temps pour les tests d'embauche qui allaient durer des heures.

Je me retrouvai dans une petite salle archi-bondée.. Mais, il y avait moi et l'audace de la jeunesse. Moi, et cette obligation absolue de réussir que je m'étais imposée. J'eus à peine le temps de m'asseoir à l'avant de la classe qu'une dame nous distribuait, recto caché, un paquet de feuilles brochées et un crayon de plomb.

Il s'agissait d'un examen psychométrique, une épreuve ressemblant à un test de Q.I. Certaines étapes étaient chronométrées, surtout celles des calculs. Il y avait des formes géométriques à construire, des suites logiques à compléter, des mots intrus dans une liste de synonymes, etc. Bref, un test fixant assez haut la barre du stress. C'était la première fois, depuis mes neuf ans, que je répondais à des questions aussi difficiles et que j'effectuais des exercices aussi complexes. La petite fille que j'étais et qui souhaitait ne décevoir personne se sentait encore fébrile au fond de moi. Cette fois-ci, encore, je jouais mon avenir. Petite, c'était pour avoir une année scolaire de moins à terminer, et maintenant, à peine adulte, pour acquérir un statut honorable. Je dois être la meilleure, ne rater aucune question, me disais-je. Je compris plus tard que ce test permettait de cibler ceux et celles dont le cerveau présentait les caractéristiques idéales répondant aux critères de l'emploi. Les temps de calcul, la vivacité d'esprit, le sens critique, les structures de raisonnement… tout cela était pris en considération. Sans devoir posséder un quotient intellectuel impérativement au-dessus de la moyenne, il fallait assurément bénéficier d'un mécanisme de raisonnement bien précis. Mais je compris aussi qu'on ne choisissait que les meilleurs et que je devais prouver que j'avais tout ce qu'il fallait pour que l'on me confie des responsabilités d'adulte.

Ce fut le début d'une longue démarche vers l'embauche officielle. Entre un nouveau test et la confirmation de sa réussite, l'attente insoutenable durait toujours plus de deux semaines. J'espérais, fébrile, l'appel du casino qui me convoquerait à l'étape suivante. Assise en «indien» sur le comptoir de la cuisine, près du téléphone, je fabulais avec ma mère sur ce grand destin qui s'offrait à moi. Nous passions des heures à visualiser la grande croupière que je serais. Je m'imaginais travailler dans la maison de rêve de mon enfance. Une maison où tout est permis : le prestige, la chance et le plaisir. Je m'inventais un monde où tout était possible, où chacun de ceux que j'aime aurait droit à une part équitable de gâteries et d'allégresse. J'allais devenir une princesse de la félicité. J'allais offrir à des âmes pleines d'espoir la possibilité de calmer leurs angoisses pécuniaires en les amusant et en les réconfortant comme un ange de lumière venu bercer les gens dans le besoin. Je ferais des gagnants parce que j'avais un grand cœur et que toutes ces personnes me rappelaient mon père qui priait pour avoir plus de sous et, enfin, souffler un peu.

À la deuxième étape, on me convoqua à un examen psychologique composé de cinq cents questions. Je fus la première à le terminer. Cette épreuve comportait des interrogations aussi anodines que : Avez-vous peur dans le noir ? Quelle est votre couleur préférée ? Rêvez-vous en noir et blanc ? À quel animal ressemblez-vous ? J'ai remarqué qu'à de nombreuses reprises les mêmes questions revenaient, mais formulées de manière différente. Était-ce pour s'assurer de la valeur de nos réponses ? Ou simplement pour valider notre mémoire ? Cet examen fut par la suite envoyé en Californie pour y être corrigé par les psychologues qui l'avaient créé. C'est du moins ce qu'on nous a dit. Le résultat de cette étude exhaustive ciblant les moindres détails de notre personnalité allait assurément donner l'heure juste sur notre profil psychologique. La dame à qui je remis le formulaire sembla agréablement surprise par la rapidité avec laquelle je l'avais rempli, ce qui me signala que la vivacité d'esprit devait être un facteur important pour les recruteurs.

Après avoir effectué ces divers examens d'embauche, je compris qu'on recherchait de prime abord des gens honnêtes et rigoureux. Je crois qu'on était en quête de personnes sûres d'elles-mêmes et capables d'affronter le regard des autres. Mes réponses semblaient indiquer clairement que j'étais orgueilleuse et que j'avais des tendances narcissiques. Aux questions du genre « Aimez-vous que les gens vous regardent ? » ou « Est-ce important d'arriver premier ? », je répondais honnêtement que cela s'appliquait totalement à moi. C'est probablement une des raisons pour lesquelles on décida de me convoquer en entrevue.

Cette fois, joviale et chaleureuse au bout du fil, la gentille « voix du Casino » me donna tous les détails de la prochaine étape de ce long processus. L'entretien aurait lieu, encore cette fois, à la petite auberge de Pointe-au-Pic. Il se déroula de façon assez standard. Lorsqu'on me posa la question « Quelle est la première attente d'une personne qui visite le casino ? », je répondis sans hésiter : « Gagner. » L'interviewer me félicita et m'avoua que j'étais la première candidate à donner cette réponse.

Plusieurs jours après l'entrevue, je reçus enfin l'annonce officielle de mon embauche si profondément désirée. Suivirent les validations légales de mes aptitudes par le test médical et l'enquête policière. Ces procédures se déroulèrent sans histoires. J'étais en parfaite santé et, malgré quelques fréquentations douteuses à l'adolescence, j'avais un dossier aussi vierge que mes intentions.

Toutes ces démarches avaient duré des mois. L'hiver était passé, et le joli mois de mai montrait le bout de son nez. Je reçus une dernière fois l'appel de la douce « voix du Casino », qui me donna les détails de la suite du processus. Je devais maintenant traverser quatre semaines de formation intensive à mes frais, au risque d'échouer et de repartir bredouille. Mon père et moi avons trouvé un modeste appartement à 200 dollars par mois juché sur la falaise de Pointe-au-Pic, d'où j'avais une vue magnifique sur le fleuve. Le paysage était grandiose. Les montagnes me rappelaient Vancouver et la liberté que j'y avais trouvée. Je sentais qu'un grand destin se dessinait pour moi. J'avais la certitude qu'une force me soutenait, que je tenais fermement les rênes de mon existence et que rien ne pouvait m'échapper. J'allais faire ma place et m'adapter. Je me voyais construire un petit nid à l'abri des tourbillons qui emportaient trop de jeunes de ma génération. Je voulais souffler, me retrouver.

Karate kid

Dans mon groupe composé de treize candidats en formation, j'étais la plus jeune. La plus rebelle et la plus excentrique aussi. Et ce, malgré l'uniformité de nos vêtements : les obligatoires chemise blanche, cravate et pantalon noirs. Mes cheveux rouge feu quelques mois auparavant avaient retrouvé leur discret et classique auburn profond, et je me fondais bien au décor dans les souliers de ma mère que j'avais troqués contre mes vieux Doc Marten's. Le déguisement était efficace. Cependant, mes yeux et mon sourire ne pouvaient tout cacher.

Dès le départ, sur un ton grave emprunté au discours militaire, on nous fit comprendre que les responsabilités de l'emploi que l'on s'apprêtait à nous confier demandaient une rigueur et un contrôle à toute épreuve. Les sommes d'argent que nous allions manipuler constituaient le facteur le plus important.

Nous étions tous considérés comme des personnes honnêtes, fiables et dotées d'une certaine intelligence mais, tout au long de la formation, notre guide étudierait nos propos et nos réactions pour s'assurer de notre intégrité. Rien ne lui échapperait, disait-il. Il savait exactement ce qu'il attendait de nous, et aucun laisser-aller ne serait toléré. Les faiblesses de chacun seraient à un moment ou un autre exposées au grand jour. On démasquerait aussitôt l'imposteur. Nous n'aurions pas de seconde chance. Nous étions faits pour l'emploi ou nous ne l'étions pas. C'est ainsi qu'il nous souhaita la bienvenue.

Puis, nous avons eu droit à un discours parsemé de louanges et de flatteries démesurées : «Vous allez exercer l'un des métiers les plus intenses au sein de l'État. Recrues, n'oubliez jamais pour qui et pour quoi vous allez travailler. Vous ferez partie d'un cercle privilégié et serez de prestigieux représentants du Casino de Charlevoix, dans tous ses détails, dans toute sa mission. Vous avez été choisis parmi des milliers de personnes venant de partout au Québec. Vous êtes la crème de la société : les plus honnêtes, les plus productifs, ceux qui apprennent le plus vite et le mieux. Vous avez tout ce qu'il faut pour représenter l'État dans sa droiture et son intégrité. »

Notre formateur parlait souvent de l'État comme d'une force supérieure : notre grand et unique patron. Nous n'étions pas seulement engagés par un casino, mais par le gouvernement du Québec lui-même pour y défendre ses intérêts. Mes oreilles brûlaient. Ma conscience hurlait. Je devais étouffer un sentiment d'infidélité envers moi-même. C'était comme renier la mentalité que j'avais chérie et sur laquelle s'était construite ma personnalité. J'entendais Chartrand et Falardeau tonner haut et fort à la trahison. Représenter l'État, moi? Mes convictions d'anticonformiste et d'insoumise luttaient contre mon ambition.

Mais quand on décide de faire partie d'un système, il faut faire des concessions. Je le savais bien. Et même si c'était plus douloureux que je l'avais imaginé, ça en valait le coup. L'âge de la majorité à peine atteint, j'aurais le même salaire que mon père, qui s'était battu pendant des années pour l'obtenir. J'avais eu suffisamment faim et j'avais assez souffert de privation pour m'empêcher de lever le nez sur ce confort offert sur un plateau d'argent. De toute façon, à dix-huit ans, qui est à la hauteur de ses rébellions? Je devais donc laisser à la formation une chance de faire son effet. Je tentai alors de censurer chaque phrase qui me venait à l'esprit.

Chaque matin, mes collègues et moi, tous plus enthousiastes et disciplinés les uns que les autres, nous rendions au musée de Pointe-au-Pic, où avaient lieu nos cours. Dans une grande salle d'exposition étaient disposés des tables de black-jack, des jetons, des jeux de cartes et le manuel du parfait croupier, un guide répertoriant toutes les règles du jeu, les procédures et règlements officiels et un lexique du jargon des casinos. Mais rien concernant les aspects humains du jeu ou les façons de s'adapter à la clientèle.

C'était au formateur que revenait le rôle de modeler notre capacité d'adaptation. Quelques années plus tard, je compris que ne pouvoir retrouver nulle part la preuve matérielle de cet enseignement ne tenait pas du hasard. Mon prof appelait ça «l'école du gros bon sens», et il n'y a pas de guide écrit pour cela, assurait-il. Notre formateur s'efforça de nous enseigner la matière non écrite. Il parlait en sillonnant les tables où s'attroupait la douzaine de croupiers en devenir que nous étions.

«Vous avez été choisis pour représenter les intérêts du Casino. Vous devez donner une image impeccable de vous et de la maison de jeu. Soyez toujours bien mis, éveillés, avenants, disciplinés, dévoués, intègres, patients. N'oubliez jamais que nous sommes une entreprise de service, de divertissement. Nous vendons du rêve et de l'excitation. Nous sommes propagateurs de sensations fortes et éphémères. L'intensité du jeu doit être à la hauteur de l'image de notre société d'État. Forte, grandiose, riche et puissante.»

Ça me paraissait sensé. Nous avions été choisis à cause de notre profil spécifique, pour des tâches déterminées par une entreprise gouvernementale. Faire de notre mieux et nous dépasser étaient des comportements qui allaient de soi. Notre instructeur, un homme petit et nerveux, vouait un culte au karaté et à la discipline. Il insista tant sur ces directives tout au long de notre formation que j'ai fini par comprendre que cela faisait partie de leurs objectifs de dressage et non pas d'une initiative de ce *Karate kid*.

Cette formation, c'était pratiquement l'armée. Nous y faisions souvent allusion entre nous. Rester debout toute la journée, calculer, manipuler des cartes, recalculer... Et plus vite, toujours plus vite. Nous avions mal aux doigts, aux mains, au dos, aux pieds, aux yeux, aux bras, à la tête.

Notre formateur avait des raisons inattaquables de vouloir nous endurcir. D'abord, un croupier ne deale jamais assis, pas au Casino de Charlevoix du moins. Ensuite, «il y aura des journées où les joueurs vous laisseront seul à la table. La plupart du temps, ce sera pour vous *punir* d'être trop chanceux, ricanait-il. Il vous faudra le prendre en riant et être capable de vous tenir comme ça, les mains dans le dos, jusqu'à nouvel ordre. On appelle ça faire du piquet».

Pour nous habituer au métier, il nous était défendu de nous asseoir pendant les entraînements. Nous devions rester debout, bien droits, et n'étions même pas autorisés à nous accouder sur le coin de la table.

Un climat de solidarité, semblable à celui d'un régiment, s'installait de jour en jour. Nous nous protégions mutuellement de nos écarts de conduite et, si l'un de nous avait de la difficulté, les autres l'aidaient et lui donnaient des trucs. Certains passaient même une partie de leur temps libre à faire répéter ceux qui traînaient de la patte. Notre mentor nous encourageait à tous moments. Jamais nous ne fûmes dénigrés, et jamais nos compétences ne furent mises en doute. Il nous rappelait constamment que si nous suivions cette formation, c'était parce que nous avions ce qu'il fallait : «Nos tests ne mentent pas.» Nous n'avions donc aucune raison de ne pas atteindre les objectifs.

«Tu devrais pratiquer les soirs et les fins de semaine si tu veux être prête pour l'examen final.

Il serait préférable que tu ne retournes pas dans ton patelin lors des congés et que ton chum ne vienne pas te rejoindre», me recommandait mon formateur. Je jugeais de telles directives assez sévères, un peu trop même. Je présumais que cette directive s'adressait juste à moi, puisque plusieurs de mes collègues habitaient la région alors que d'autres travaillaient les fins de semaine. Tous avaient droit à la liberté sauf moi ? Je n'aimais pas du tout qu'on me serre la vis ainsi. Les journées étaient suffisamment éprouvantes ; me reposer le soir était la meilleure chose à faire pour réussir à passer au travers de la journée suivante. Pas question de m'obliger à pratiquer quoi que ce soit en dehors des heures d'enseignement. J'étudiais seulement la veille d'un examen et je ne pratiquais les manipulations de cartes et de jetons que quelques minutes par soir. Ces quatre semaines de formation non rémunérées, donc coûteuses en dollars autant qu'en énergie, alliées à la pression de l'examen final qui approchait, me rendaient incroyablement anxieuse. Je gérais donc mon temps et mon stress selon mon instinct. Nous travaillions assez fort toute la semaine que je ne voyais pas l'utilité de me surmener.

Après une semaine de lavage de cerveau qui ne fonctionnait malgré tout qu'en surface, je perçus clairement que je ne serais pas la meilleure, ni la préférée. J'allais devoir travailler fort, ce serait difficile, cette fois. Je n'avais ni le désir ni l'ambition, comme mes compagnons semblaient l'avoir, d'appartenir à un groupuscule aussi fermé qu'une secte. Et je n'étais pas motivée non plus par l'idée de jouer aux cartes toute la journée sans avoir de décisions à prendre ni le droit de m'exprimer sans enfreindre un règlement. Toutefois, plus la formation avançait, plus j'étais emballée. J'avais sincèrement envie d'apprendre et de réussir, au risque d'aller à l'encontre de mes convictions d'adolescente. Ce métier me demandait concentration et agilité, et cela satisfaisait parfaitement mes besoins.

Croupier 101

La description de mon futur emploi se résumait à accueillir les joueurs et à leur expliquer globalement le jeu s'ils étaient novices. Il fallait également changer l'argent, vérifier et gérer le plateau de jetons, inspecter les cartes, mener le jeu dans le respect des règlements, payer les joueurs et ramasser les mises perdantes.

Durant les quatre semaines de formation, on nous enseigna les méthodes de calculs, les rouages du fonctionnement du casino ainsi que les façons de tenir notre rôle de croupier. Puis, on nous forma à un jeu : le black-jack. Nous devions apprendre à maîtriser la multitude de règlements et à manipuler les cartes et les jetons. Puis, après tout cet apprentissage technique, on nous apprit comment utiliser notre personnalité et nos aptitudes pour créer et maintenir un rythme de jeu, puis développer et asseoir une clientèle. Mes emplois antérieurs d'animatrice et de guide touristique m'avaient dotée d'un bon sens du divertissement. J'avais donc confiance en mes capacités à créer une ambiance chaleureuse à chacune de mes tables.

Dès les premiers jours de la formation, on nous apprit que la distribution des cartes, qu'on appelle la donne, devait être impeccable. Un angle bien précis pour chaque emplacement, une cadence égale et un mouvement fluide étaient requis. Si les cartes étaient bien placées, la gestion de chaque main devenait plus facile. Et c'était d'autant plus clair pour l'œil des caméras de surveillance.

La cadence de la distribution des cartes avait aussi son propre barème. La boîte servant à les distribuer, appelée sabot, contient six paquets. Pour satisfaire aux normes, je devais être en mesure de distribuer un minimum de quatre sabots à l'heure, pour une table complète. Je ne pouvais faire moins et, au mieux, je devais faire plus. Le battage des cartes devait durer un maximum d'une minute et demie. Au début, je trouvais ça drôlement rapide ; je crois bien que ça me prenait près du double de temps. J'étais cependant persuadée de gagner en vitesse, puisque je gagnais en contrôle des cartes et des jetons.

Il y avait des milliers de détails à maîtriser. Par exemple, la façon de placer le paiement sur une mise gagnante selon le total. Ou la manière de déplacer les cartes ou les mises lors d'un partage ou d'une mise doublée. Je fus bientôt en mesure de savoir exactement combien de jetons il y avait dans la pile que je tenais au creux de ma main, ce qu'on appelle le *feel twenty*, dans le jargon du métier. Savoir d'instinct qu'il y a vingt jetons, pas un de plus ou de moins, dans notre main était un critère impératif pour devenir un bon croupier. Ainsi, les changes d'argent se font plus facilement et plus élégamment. Cette technique aide aussi au paiement des mises, ce qui permet de retourner moins souvent se servir dans la banque de la maison.

Autre critère impératif : ne jamais oublier de prouver aux caméras que nos mains étaient vides. On appelait ça faire un *dust off*, ce qui signifie littéralement : se dépoussiérer les mains. Nous devions nous frotter les mains ensemble et les tourner vers le haut chaque fois que nous nous apprêtions à saisir une valeur monétaire et peu importe l'objet que nous devions toucher, le *dust off* était un automatisme obligatoire. C'était le seul moment où nos mains pouvaient s'effleurer.

Ces détails facilitaient l'observation du jeu pour l'œil vigilant des caméras et permettaient de contrôler l'intégrité des croupiers. Chaque règle avait ce but bien précis. Les yeux des miradors avaient besoin de grands gestes francs, fluides et uniformes. Il était interdit que nos mains se touchent. Nous ne devions jamais avoir les deux mains sur un objet en même temps et ne jamais passer quoi que ce soit d'une main à l'autre. Si quelqu'un nous tendait de l'argent ou un objet, il devait le déposer sur la table pour qu'ensuite nous en prenions possession. Nos bras ne pouvaient pas se croiser non plus. Le côté gauche à gauche, le côté droit à droite. Sauf au moment de la distribution des cartes et à certaines exceptions près.

Un autre geste obligatoire, le *hand sweep,* consistant simplement à balayer la table de notre main droite avant chaque distribution des cartes, nous permettait, en l'espace de quelques secondes, de faire un plan du tour de table qui nous attendait. Combien y a-t-il de joueurs présents? Y a-t-il des mises complexes comprenant plusieurs valeurs? Quelle est la mise la plus élevée et son emplacement? Quelle est l'humeur et l'atmosphère globale? Y a-t-il un nouveau visage, combien a-t-il de jetons dans les mains, est-il installé pour un moment ou fait-il simplement un «tour d'essai» pour tâter le terrain? Avec ce geste, j'appris à détecter en un seul coup d'œil toutes les formes de particularités : une mise illégale, des jetons non conformes, des valeurs destinées à être échangées, etc. L'instructeur nous garantissait qu'après quelques mois, nous serions agréablement étonnés de la rapidité et de l'ampleur des informations que nous pourrions décoder pendant ce moment précis.

Chaque manœuvre devant être impeccablement accomplie, je dus réapprendre à bouger, à réagir. Mon cerveau devait enregistrer des tours et des mouvements demandant autant de concentration que de se frotter le ventre en se tapant sur la tête!

Les deux premières semaines ne furent pas de trop pour atteindre un niveau de contrôle suffisant des cartes et des calculs. Au fil des exercices, les cartes devenaient des prolongements de notre corps et de notre esprit plutôt que des instruments de torture. Avec les encouragements que je recevais, ça se passait plutôt bien : «On va te casser, Éléo, t'inquiète pas si c'est difficile, on va te casser. Tu seras un vrai robot, tu vas tout voir, tout entendre. Une véritable machine, crois-moi», assurait mon formateur.

D'heure en heure, je me perfectionnais et devenais ambidextre. Je fus bientôt capable d'effectuer un mouvement différent des deux mains, simultanément. Je parvenais à démêler des piles et des piles de jetons de couleurs différentes, passant les diverses valeurs d'une main à l'autre dans un ordre précis. De plus en plus fluides, les cartes et les jetons dansaient dans mes mains agiles. J'avais l'impression de faire de la magie tellement les mouvements créaient l'illusion de gestes impossibles. Je devins une pro du calcul mental. Selon les méthodes que le formateur nous enseignait, je pouvais à la fois me souvenir du total des cartes des sept joueurs, du total de mes cartes, des règles de paiement et multiplier par une fois et demie n'importe quel chiffre. Je pouvais retenir l'ensemble de ces opérations tout en calculant les montants des jetons que je glissais dans ma main pour ensuite payer ou ramasser les mises. C'était hallucinant.

Si je suis devenue si habile, c'est assurément grâce à mon instructeur. Il était plutôt doué pour nous apprendre les rouages du métier. Sa passion pour l'emploi s'expliquait par ses performances extraordinaires. Il maîtrisait totalement toutes les techniques. Exceller dans un domaine incite rarement quelqu'un à se démotiver. Pour ce grand dévoué, la fierté qu'il tirait de son talent le poussait à le transmettre. Réussir à fournir à la direction un maximum d'impeccables petits disciples lui vaudrait sûrement une étoile dans son cahier. Cela s'inscrivait parfaitement dans la stratégie d'un homme qui voulait gravir les échelons de l'entreprise et qui ne s'en cachait pas. Notre maître était passionné par son travail, ses expériences et le prestige d'un si grand établissement. Il était probablement une des meilleures ressources que le Casino de Charlevoix eut jamais en ses murs. D'ailleurs, tout au long de mon périple comme croupière, je l'ai vu s'élever de promotion en promotion, toutes méritées par son assiduité et sa totale dévotion à l'entreprise.

Grâce à son enseignement, mes yeux sont devenus vifs et suspicieux. Car nous avions aussi pour tâche de jouer à la police en surveillant les faits et gestes des clients afin d'assurer l'intégrité de la table. Ce qui me plaisait bien comme responsabilité. J'étais une espionne à découvert. J'avais droit à la paranoïa, et même le devoir de soupçonner à outrance. Je balayais tous les coins de la table sans loucher. Je repérais les mises illégales et les comportements suspects. Je devins un véritable radar capable de repérer la moindre anomalie.

On nous apprit donc certaines formulations pour aviser un joueur qu'il était en train de commettre une erreur, qu'il dérogeait aux règlements ou même que nous étions conscients qu'il tentait de tricher. Vu l'ampleur du stress qu'imposent les jeux d'argent, les joueurs ont souvent les nerfs à fleur de peau. Le mot d'ordre était donc de ne jamais accuser le client, mais bien de donner l'impression que « l'erreur » venait probablement de nous. Il fallait éviter tout malaise ou mauvaise interprétation de nos directives. Le client a toujours raison. Et quand il est question d'argent et d'intégrité, cette règle s'applique encore plus.

Pour nous protéger et conserver intacte l'image impeccable du croupier, nous devions impérativement suivre cette procédure : tous les conflits doivent être gérés et réglés par le chef de table, poste qu'occupait notre formateur en dehors de son rôle d'enseignant. Ce chef est un superviseur attitré qui surveille un maximum de quatre tables à la fois. Il donne le O.K. pour chaque transaction, pour le début de toute partie après le battage des cartes, et s'assure que le croupier exécute ses tâches dans la plus pure intégrité. Ce même chef se doit de nous protéger et de nous appuyer tout au long de l'animation de la partie. Un seul mot est nécessaire pour solliciter son intervention : « Chef! »

Convivialité, sourire et totale disponibilité résument bien l'attitude que le croupier doit adopter. Plus nous aurions une personnalité sympathique, et plus nous représenterions l'employé idéal. C'est d'ailleurs la grande raison qui nous interdit de gérer un conflit. Nous demeurons hors de tout blâme possible, les décisions ne nous revenant pas.

Malgré tous les trucs et techniques que l'on nous a enseignés durant cette formation, on ne nous a jamais sensibilisés aux aspects les plus sombres du jeu. On ne m'a jamais mentionné, par exemple, que les clients sont pour la plupart des gens malades. On ne m'a jamais dit que j'allais contribuer à les déposséder de sommes d'argent colossales et que je me retrouverais, soir après soir, devant des êtres humains très souvent en proie à une grande détresse psychologique. La formation n'abordait nullement ce qui aurait pourtant dû m'être évident. Tout le côté malsain des jeux d'argent, mais aussi leur implication émotionnelle, il me serait impossible de les contrôler. Nous n'avons pas eu d'avertissements et avons été laissés sans conseils. Aucun psychologue compétent n'est venu nous donner des outils pour nous préparer à la tâche qui nous attendait. Je distribuais des cartes avec une agilité déconcertante et je comptais aussi vite qu'une calculatrice, mais je n'étais assurément pas préparée à affronter la réalité de ce monde glauque et fermé. J'étais enthousiaste mais ignorante.

À vrai dire, je ne connaissais rien des casinos. Je n'y avais jamais mis les pieds et j'ignorais tout du black-jack. Je n'avais pas la moindre idée du montant d'argent qu'une seule personne pouvait y «investir». Je me disais donc que gérer une mise de 100 dollars de temps à autre serait plutôt excitant. Que si on s'assied à une table, c'est qu'on en a les moyens. «Heureux les innocents!» comme dit ma belle-mère.

Le dressage

L'enseignement accomplissait parfaitement son œuvre. La manie du *dust off* me suivait partout. Si, au dépanneur, le caissier me remettait de la monnaie, automatiquement, je lui disais «Sur la table, s'il vous plaît», en tapotant le comptoir d'un geste bizarre. Le caissier se voyait alors obligé de la déposer sur le comptoir. Et je devais me contrôler pour ne pas me dépoussiérer constamment les paumes en signe d'intégrité.

Lentement, grâce à une formation brillamment ficelée, on nous dressait, on nous façonnait. Nous devions apprendre par cœur la mission officielle du Casino et la réciter comme l'alphabet et, chaque matin, une nouvelle pensée destinée à nous motiver nous

accueillait, inscrite sur le tableau à l'entrée de la salle :
« Michael Jordan a été éliminé de l'équipe de basket-
ball de son école » ou « Rome ne s'est pas construite
en un jour. »

Le système « casino » m'assimilait tout doucement.
L'ambition et le désir de gravir les échelons jusqu'au
sommet me gagnèrent insidieusement. Le prestige,
les honneurs, que de beaux désirs qui contribueraient
à me transformer et à me mener tout droit à une vie
réglée par la performance. Je perdais peu à peu ma
vision d'une existence en marge de la société. Tandis
que naissait un sentiment d'appartenance à ce monde
fermé, je changeais peu à peu de personnalité. Susciter
chez nous le désir de performance et de pouvoir était le
secret de cette assimilation. Pour nous manipuler, on
misait sur nos faiblesses communes. Ceux qui avaient
pensé la formation savaient bien que nous aspirions
tous à une belle carrière, au succès et au prestige.

Les promesses de prospérité étaient assimilables
autant que la technique. Plus on apprenait, plus la
convoitise se concrétisait, notre formateur nous faisant
sans cesse miroiter les avantages sociaux, les primes, les
augmentations de salaire. Le salaire de base à lui seul
nous élèverait au rang de fonctionnaires aux revenus
garantis nous permettant d'acheter une voiture, une
maison, des meubles, et d'offrir de beaux présents à
notre famille. Quelle ambition ! Je voulais l'abondance ;
c'était comme attendre les jours de Noël de mon
enfance. Je rêvais de tout ce que je n'avais pas eu, de
tout ce qui m'avait manqué. Je savais que les festivités
approchaient et qu'enfin je me gaverais.

La soif d'argent commença à me dévorer petit à petit, même si je n'avais pas encore touché un sou. Sans l'ombre d'un doute, l'appât du gain est contagieux. Que ce soit pour s'amuser ou pour gagner sa vie, l'argent est une source incroyable de motivation. Plus il y en a en perspective, plus grande est la contamination. Plus, plus, plus... Pouvons-nous alors nous étonner des réactions de la clientèle d'un casino?

«Si quelqu'un se fâche ou devient agressif, restez calme. Il a le droit de réagir comme il veut. Le montant de ses pertes n'est pas votre responsabilité. Il est majeur et vacciné. La somme d'argent qu'il mise est sa décision. Vous êtes là pour animer la partie et en gérer le déroulement. Ne vous attachez à aucun joueur. Ne compatissez pas. Ne vous appropriez aucune de ses émotions. Restez de marbre : chaque moment de tension doit servir à épaissir votre carapace.» Il avait raison, tant pis pour les grognons! De toute façon, j'étais convaincue que je serais tellement divertissante que ce genre de situation m'arriverait peu. Je me gonflais de fierté et d'assurance.

C'est, je crois, une semaine avant le test décisif qui nous donnerait enfin le grand titre de croupier que nous eûmes droit à une visite guidée dans l'enceinte du casino. Cet événement alimenta le sentiment d'appartenance à la bande des treize ambitieux que nous étions. Après cela, notre empressement redoubla. Nous nous sentions plus ardents, plus motivés, plus rigoureux. Le discours d'accueil destiné à la nouvelle cuvée de croupiers se déroula dans un bureau impersonnel rempli de paperasse. Un cadre tout aussi dévoué à l'entreprise que notre professeur nous y attendait.

Entassés comme des sardines dans le bureau, encore tout émerveillés par la visite du casino, nous écoutâmes le chef-de-table-semi-chef-de-quart-aspirant-directeur nous livrer sa version du rêve américain, les yeux grands ouverts, cherchant en cet homme notre possible avenir. Arrogant, du haut de sa jeune trentaine, il demeura assis sur son gros fauteuil ergonomique pivotant tout au long de son discours promotionnel. Je crois bien qu'il en était à sa première allocution du genre. De toute évidence, il jouissait de nous offrir son témoignage. «Lorsque je suis arrivé ici, on m'a engagé comme croupier. À cette époque, le casino était tout petit ; il n'y avait presque pas de tables de jeu et pratiquement pas de clients. Nous passions nos journées entières debout derrière la table à attendre, attendre… Puis, petit à petit, le casino s'est rempli. Je travaillais de plus en plus, puis j'ai été promu chef de table. Maintenant, le casino fait plus que doubler sa superficie, et me voilà *acting** chef de quart. En moins de cinq ans, j'ai gravi tous les échelons que j'aurais pu espérer gravir. Je me suis acheté une maison, et mon avenir est assuré. Si vous travaillez bien et fort, vous pourrez vous rendre là où je suis maintenant beaucoup plus vite que vous ne le croyez. Vous arrivez dans un moment exceptionnel d'expansion de l'établissement. Vous êtes extrêmement chanceux d'être ici aujourd'hui.»

---

* Stagiaire.

Je frissonnai. Je le fixai en tentant de déceler la moindre parcelle de chaleur dans ce discours sur la réussite. La hiérarchie du casino, une fois escaladée, nous installait-elle dans la froideur des cimes ? Nous rendait-elle à ce point fiers et confiants qu'il n'y avait même plus de place pour la sincérité ? Un tel discours me semblait suspect de perfection. Pourquoi n'évoqua-t-il aucune des difficultés que nous allions éprouver ? Ce n'aurait certes pas été « vendeur », mais au moins, cela lui aurait donné un peu plus de mérite et de crédibilité. Je le revois encore, dans son complet noir, reluquer les petites nouvelles, déployant ses plumes de paon. En y repensant bien aujourd'hui, personne dans cet établissement ne nous a prévenus, ne nous a laissé entendre à quel point nous allions en baver.

Les rois

Le formateur ne nous a jamais caché que l'important est de faire jouer le client le plus longtemps possible. La nuance, c'est qu'il doit le faire dans le confort et le divertissement. Le rôle du croupier est de s'assurer que le joueur ne manquera jamais de quoi miser.

Cette tâche, le chef nous l'expliqua sans que personne mentionne l'influence que cela aurait sur le jeu et sur le joueur. Notre cerveau, en mode « programmation », ne se posait pas de questions, il enregistrait. Ce n'était pas le moment de réfléchir ; il n'y avait pas de place pour le questionnement. L'excellence du service à la clientèle justifiait cette manière d'aller au-devant des besoins du client.

«Le jeu est stressant, nous disait notre gourou. Nous sommes là pour calmer l'atmosphère tout en nous conformant à la mission de la maison. Les joueurs seront parfois impatients, fatigués, peut-être même impolis. Vous devrez les comprendre, les réconforter. Sachez être à leur écoute pour saisir chaque moment où vous pourrez les calmer. Quelquefois, vos clients perdront beaucoup d'argent. Vous devrez contribuer le plus activement possible à créer une atmosphère de détente et de plaisir.

«Si les joueurs gagnent, mettez-en plein la vue. Offrez une animation grandiose qui attirera d'autres joueurs à votre table. Comme ceux de la table d'à côté, par exemple : ceux qui perdent et cherchent une meilleure place. Il faut garder les clients. Les fidéliser. Ils doivent passer un moment inoubliable, rempli d'émotions. Donnez-leur du prestige.» Oh que oui, ma table serait toujours pleine à craquer, avec des spectateurs et des applaudissements. J'allais être toute une animatrice! Je serais le centre d'attraction, la vedette du casino! me suis-je dit, emballée. La démesure de mon enthousiasme était à la hauteur de celle de mes attentes.

«Si un joueur perd et que vous le sentez sur le point de paniquer et de quitter la table de mauvaise humeur, vous devez ralentir. Par contre, si vous savez qu'il veut vite le retour de la chance, accélérez le rythme. Adaptez-vous à vos joueurs. Sentez leurs besoins avant même qu'ils les expriment. Vous êtes maître de la table.» Ce discours me plaisait beaucoup. Être maître. Enfin, posséder le pouvoir de maîtriser une logistique complexe de manipulations.

J'avais trouvé ma spécialité. C'était dans cette «psychologie du client» que j'allais exceller. J'étais hypersensible et capable de décoder rapidement la vraie nature d'une personne. Les gens cachent mal leurs faiblesses, et leurs attitudes trahissent trop souvent leurs besoins. Même à l'époque, la conscience de cette habileté ne me quittait pas. Je me reconnaissais un penchant à profiter de la vulnérabilité d'autrui pour me donner l'impression de l'avoir en mon pouvoir. Je comprenais de plus en plus pourquoi on nous avait choisis, mes coéquipiers et moi. Nous partagions tous un même genre de personnalité. Peut-être qu'un caractère contrôlant, prétentieux même, était obligatoirement requis pour occuper ce genre d'emploi.

Ainsi, si l'on cumule tous les détails, la part laissée au hasard ou à la négligence est pratiquement inexistante.

«Lorsque le joueur se présentera à votre table, il vous demandera généralement de lui changer ses dollars de papier ou ses jetons de hautes valeurs contre les jetons adéquats. Si votre table propose une mise minimale de 5 dollars, vous donnerez des rouges. Si la mise minimale est de 25 dollars, vous servirez des verts. Par contre, c'est à ce moment que s'affirment votre bon jugement et votre capacité d'adaptation», professait notre gourou. En quelques mois, nous saurions reconnaître les goûts et manies de la majorité de la clientèle. Il nous précisa que nous allions devoir nous adapter, mais qu'il faudrait être sur le terrain pour bien saisir le moment et comprendre réellement tout ce que cette «théorie» impliquait.

« Par exemple, la petite dame du mercredi soir qui dispose généralement d'un budget de 300 dollars et qui souhaite jouer jusqu'à la fermeture. Tant qu'elle aura des jetons, elle jouera. Il est facile de comprendre qu'il suffit de lui donner les plus petites coupures possible. Quitte à changer ses 5 dollars en 1 dollar pour qu'elle mise non pas 5 dollars ou 10 dollars par tour de table, mais bien 5 dollars, 6 dollars, 7 dollars ou 8 dollars. La perte est légèrement moins rapide, et les piles de 1 dollar lui donnent l'impression d'avoir plus de gains.

« Quant au pédant, maussade avant même d'avoir joué avec vous, qui se pointe à la table avec deux jetons de 100 dollars et les lance nonchalamment, il veut généralement huit jetons de 25 dollars. Mais si vous les lui donnez, il se fâchera pour en avoir quatre de 25 dollars et vingt de 5 dollars. Ce type de joueur réagit souvent ainsi. Dès sa première mise, vous pourrez confirmer quel genre de joueur est assis devant vous. Ainsi, s'il veut récupérer des pertes, il misera fort dès le départ. Ou alors très très bas, pour tâter le terrain. Dans son cas, il n'y a pas de juste milieu. Dès que vous en aurez l'occasion, vous payerez sa mise gagnante avec de grosses valeurs. Il se retrouvera donc rapidement avec juste des jetons de 25 dollars et les misera impérativement jusqu'à ce qu'il les perde tous. Donc si la chance n'est pas de son côté, ce sera en l'encourageant que vous lui changerez ses jetons de 25 dollars pour des jetons de 5 dollars. »

Dans la section haute mise, les joueurs jouent gros, très gros. J'appris qu'il ne fallait jamais suggérer aux joueurs de changer leur pile de 100 dollars pour des jetons de 500 dollars. S'ils ne le demandaient pas eux-mêmes, je devais continuer à payer avec des valeurs identiques à leurs mises. Autant que possible, évidemment. Ces manœuvres évitent de changer continuellement des valeurs, ce qui a pour effet d'interrompre ou de ralentir le rythme du jeu. En vérité, cela contribue surtout à limiter les envies du joueur de quitter la table. S'il ne lui reste que quatre jetons représentant 2 000 dollars, il hésitera avant d'en changer un. Plus il a de petites coupures devant lui, plus il les misera. Jusqu'à ce qu'il n'en reste plus, la plupart du temps.

Le test de table

Il était impossible d'obtenir le poste de croupier si nous ne réussissions pas le test de table final. Deux faux clients, des cadres supérieurs de la direction des tables de jeu, nous seraient envoyés. Ce ne serait pas très compliqué; je devrais seulement prouver que je pouvais gérer la table dans les règles et que j'étais capable de compter jusqu'à vingt-et-un en payant un black-jack de temps en temps. La formation avait réussi à nous permettre de faire face au stress avec un certain degré de confort.

Sur treize recrues, douze se sont finalement présentées au test de table. Un de nos camarades, de quelques mois mon aîné, s'était fait montrer la porte juste avant le test ultime. Il excellait en calcul mental, en manipulation de cartes et de jetons. Et jusqu'à son expulsion, il avait offert un rendement plus que satisfaisant. Il fut bêtement remercié après quatre semaines d'investissement total parce que, ayant terminé avant la fin du temps alloué pour un examen de calcul, mon ami s'était permis de griffonner une femme nue au dos de sa feuille. Pour nous, cela n'était qu'enfantillage banal et sans grande conséquence. Par contre, pour les dirigeants du casino, semblables aux caporaux de l'armée, un tel comportement était inacceptable. Code d'éthique oblige. Il avait fait un faux pas qui trahissait un peu trop de fougue et d'immaturité. Nous étions tous attristés. Même notre formateur dut retenir ses larmes en nous apprenant la nouvelle. Chez nous, les recrues, l'annonce de ce congédiement ne déclencha pas la moindre réplique, pas même venant de moi qui, à une époque peu lointaine, aurais hurlé à l'injustice. Dorénavant, seul mon succès égoïste comptait. Je ne pensais plus à rien d'autre qu'à ma réussite personnelle.

En fin d'après-midi, ce sont douze pingouins frileux d'impatience qui se rassemblèrent autour de leur chef. Il nous annonça que tous et toutes avaient réussi le grand test. Je savais mes parents impatients, assis devant l'entrée du musée, à attendre leur grande fille. Mon cœur battait à tout rompre. Les yeux mouillés, je courus vers eux, les bras en V. Je m'étais rendue jusqu'au bout. J'avais officiellement l'emploi.

Je contemplai le splendide paysage. Il faisait beau, c'était l'été ; tout se conjuguait pour accueillir mon bonheur et ma fierté. Mes années passées à me chercher au milieu de la foule, à me questionner sur le sens à donner à ma vie étaient derrière moi. Toutes ces difficultés en avaient valu la peine. Je sentais que j'étais devenue une femme, une femme gagnante.

CHAPITRE 2

À table !

Le royaume

L'été approchait à grands pas. Le Casino de Charlevoix préparait sa réouverture pour son cinquième anniversaire après des rénovations qui s'étaient échelonnées sur de nombreuses semaines. La superficie des bâtiments avait plus que doublé. On inaugurait un salon V.I.P. et une section de tables de black-jack alignées le long d'immenses fenêtres ouvertes sur l'horizon du fleuve salé. Toute la petite région était en effervescence. On y respirait les fleurs, le varech et l'excitation des grands moments.

Le ciel bleu et les «moutons» sur le fleuve nous promettaient un été chaud. Tout était si beau. Le village de Pointe-au-Pic s'animait grâce à ses habitants colorés, avec leur parlure et leurs sparages. L'air salin me ramenait des années plus tôt, aux étés sur les berges du fleuve, à la plage du camping Rioux de Trois-Pistoles. Ces étés de mon premier amour et des souvenirs de jeunesse futiles et précieux à la fois. Je m'étais trouvé une maison, aussi petite que celle d'une poupée et aussi grande que l'espoir enfin exaucé d'une petite fille qui a longtemps rêvé d'en avoir une. Puis, il y avait le bonheur, le mien. Le ravissement gonflé d'amour-propre et par l'amour-passion. Un bonheur aussi frais que le goût de la crème glacée du casse-croûte Chez Chantale et aussi paradisiaque qu'une matinée passée à flâner sous les draps avec mon amoureux. Tout était parfait...

À mon arrivée, en ce premier matin, je fus estomaquée par la magnificence des lieux. Les murs du casino étaient lambrissés de boiseries, et le vitrail du toit cathédrale changeait de couleur, passant du bleu au rouge, au vert, au jaune, telle une aurore boréale perpétuelle. Les dorures et les lumières flamboyaient, absorbées par le tapis moelleux, bleu comme la nuit. On y respirait un doux parfum de propreté immaculée.

À chacun de mes pas, je flottais un peu plus haut, alors que je me dirigeais vers ma table, grande scène de ma première. Des centaines de reflets de ma silhouette me suivaient dans les écrans reluisants des multiples machines à sous qui clignotaient, excitaient, ensorcelaient. Je me contemplais dans mon nouvel habit officiel, propre et chic comme un uniforme de parade militaire. Je me sentais portée par les cris des gagnants émerveillés, les rires et les sourires. Une douce douleur s'installa au milieu de mes joues, parce que mon sourire béat ne me quittait plus. À la fois perdue et en terrain familier, comme dans mes songes. Mes mains moites de fébrilité et mes doigts nerveux aux ongles taillés trop court allaient enfin faire fonctionner le Casino, toucher au fabuleux royaume.

Ma première fois

Au petit matin, le casino n'avait pas désempli, les portes étant exceptionnellement ouvertes pour vingt-quatre heures, en raison de la fête nationale et du cinquième anniversaire de l'établissement. Les clients avaient joué toute la nuit. On m'attribua une table importante à 25 dollars la mise, et je pris mon poste, nerveuse, tremblante, pleine d'illusions et de bonnes intentions.

On m'avisa qu'une cliente sérieuse était assise à ma table, une habituée de la maison, et que je me devais d'être à la hauteur de ses attentes dès le premier tour. Elle attendait de pied ferme la nouvelle cuvée de croupiers.

Je découvris une vieille dame bien en chair, cigarette au bec, qui trônait à ma table, entourée de petits fétiches et de jetons verts comme l'argent, couleur de l'espoir. À première vue, madame Gagné était la grand-maman typique : très ronde, courte, environ soixante-dix ans, les cheveux blancs, sûrement piqués de bigoudis la veille. À son cou pendait une breloque en or ressemblant étrangement à un pion de Monopoly. De près, je remarquai que sa voix était rauque et que ses yeux semblaient épuisés. D'entre ses dents jaunes écartées sortait une sempiternelle fumée. Madame Gagné allumait sa cigarette au mégot qu'elle fumait jusqu'à la dernière limite, allant jusqu'à en tirer encore une dernière bouffée après avoir allumé la nouvelle cigarette. Elle toussait chaque fois qu'elle ouvrait la bouche. J'avais l'impression d'entendre des morceaux de nicotine se décoller de ses poumons. Je remarquais surtout qu'elle était agitée par de multiples tics, mouvements compulsifs répétés à l'infini donnant le sentiment sinistre qu'elle n'était qu'un pantin secoué par un marionnettiste invisible. Mais qui tirait les ficelles ?

Madame Gagné était très superstitieuse. Elle récitait des prières en marmonnant ou invoquait un saint patron, surtout celui des causes désespérées. Elle répétait sans cesse, à chacune de ses mises, le fameux : « On récupère, on récupère… » en assenant une tape violente à la table près des jetons en jeu. Sinon, elle caressait le tapis dans le sens de la fibre – si tant est que caresser fût un geste possible de la part d'une telle personne.

On m'a raconté qu'à ses débuts elle était affectueuse, voire mielleuse, avec les employés du casino. Elle les considérait comme sa famille et passait des semaines entières avec eux. Les plus anciens rigolaient en disant que c'est elle qui les avait fait vivre les premières années.

Mais au fil des ans, le black-jack lui avait fait perdre sa gentillesse en même temps que ses plumes. Quand je l'ai rencontrée, elle commençait déjà à vider son bas de laine, nous tendant des billets depuis longtemps retirés de la circulation.

Même irrémédiablement exécrable, madame Gagné était une « pionnière », et nous lui devions le respect.

Son nom avait été mentionné à maintes reprises lors de la formation : elle avait perdu près de un million de dollars, peut-être plus, dans les *drop box,* des tables de black-jack, son jeu préféré. Malheureusement, la responsabilité du Casino dans cette déchéance ne se payait pas en soins psychologiques, mais en traitements de faveur.

Plus tard, elle me traiterait continuellement de «petite démone», se moquerait de moi et ferait des commentaires insupportables sur mon rythme de distribution, sur l'esthétique de la disposition de mes cartes, etc. Je crois que seuls quelques collègues et moi-même éprouvions autant de répulsion pour elle. La plupart des employés la connaissaient depuis le début et lui pardonnaient ses intolérables remarques. À la fin, je l'avais surnommée Jaba, comme le monstre de *La guerre des étoiles.* Ça lui allait à ravir. Elle me prit rapidement en grippe. Peut-être avait-elle senti le mépris qu'elle m'inspirait déjà en ce premier matin.

Je constatai rapidement que l'ambiance du casino n'était en rien comparable à la paisible salle du musée de Pointe-au-Pic où j'avais suivi ma formation. J'arrivais à peine et, déjà, par la faute de madame Gagné, une atmosphère d'agressivité saturait l'air autour de ma table. Pourtant, je sortais les cartes une à une, et mes doigts jonglaient avec les mises. Les minutes et les heures passèrent à un rythme effréné. Le bruit, les exclamations, les dollars en papier, les regards intimidants des hauts supérieurs en veston cravate qui semblaient déjà me connaître par cœur… J'étais étourdie, ahurie. Et incapable de dissocier mon stress de celui des joueurs, stress que je captais intensément. Mais je n'avais pas le temps de réfléchir, pas même le temps d'analyser ces émotions qui me submergeaient. En écrivant ces mots, je revois le casino tourner autour de moi comme un remous de millions d'images et d'émotions. J'en ai mal au cœur. Ce soir-là, je me rappelle avoir confié à mon amoureux que cet emploi devait être le plus incroyable et le plus hétéroclite du monde. La peur et l'euphorie s'affrontaient au fond de moi, pourtant, j'avais hâte d'être au lendemain. J'espérais que la désagréable sensation d'être une enfant impressionnée fasse rapidement place à la grande personne en contrôle que je croyais être devenue.

Jouer pour vrai

Cet été-là passa rapidement, chaque journée amenant son lot de nouvelles rencontres, des clients inconnus qui deviendraient bientôt mes fréquentations, étant donné le temps qu'ils passaient avec moi. J'ai fait la connaissance de gens extraordinaires. Des personnes saines d'esprit, intéressantes. Petit à petit, j'appris leur histoire, rencontrai leurs familles. Souvent, je me souvenais même du prénom de leurs enfants.

Il y eut des soirées en leur compagnie où fusaient les éclats de rire et où les mises, raisonnables, faisaient que le jeu restait un jeu. J'ai vécu des moments passionnants. Lorsque, devant moi, les chaises se remplissaient de touristes pleins d'humour et d'énergie, je devenais rayonnante. Rayonnante aussi quand le joueur ne sollicitait pas mon aptitude à gérer ses états d'âme. Nous formions une équipe : clientèle, croupière, casino tout entier. Dans ces moments, des spectateurs se déployaient tout autour pour observer la partie. Des gens souriants, priant pour pouvoir bientôt se joindre à nous. Rien ne manquait au spectacle, pas même les applaudissements. Que de belles soirées remplies de plaisirs réels, tangibles, n'ayant rien à voir avec le vice.

C'est pourquoi j'adorais me voir assigner une table dont la mise minimale était de 5 dollars. Elles étaient faciles à diriger, puisque dégagées du stress qu'impliquent des pertes importantes. Ce calibre de mise m'enlevait la pression de devoir distribuer des cartes à un joueur en chute libre. Les clients étaient presque tous des débutants. Comme ils n'accusaient pas de pertes importantes, ils pouvaient parfois jouer toute la journée avec un budget de 100 dollars. Ils étaient tout simplement émerveillés et fébriles à l'idée de gagner quelques sous, tout en sachant très bien qu'ils ne feraient pas fortune. Plusieurs venaient accompagnés d'un bon ami ou d'un membre de la famille. En tout cas, il y régnait une ambiance amicale. On jouait tranquillement, patiemment. En attendant la décision du prochain joueur. Les conseils et les encouragements venaient de partout, et les applaudissements éclataient à l'annonce d'un black-jack ou d'un tour où le croupier paie tout le monde. Ce sont mes meilleurs souvenirs. Durant ces moments-là, j'avais le cœur, les épaules et le pas légers. Voilà ce que doit être un casino, un endroit où les pertes d'argent ne sont que symboliques et n'entraînent pas la déchéance financière et psychologique des individus. Une maison où le dernier bonsoir est empli de gratitude mutuelle. Où les gens s'en vont en emportant avec eux un souvenir délicieux, digne de la région et de ses trésors. Ces nuits-là, je dormais paisiblement, assommée par une belle fatigue. Je revoyais mon «public» en ovation, et mes oreilles bourdonnaient encore des éclats de rire. Avant de céder au sommeil, mes dernières secondes de conscience s'envolaient en une prière qui demandait une soirée identique pour le lendemain. Qui sait, si l'on m'avait exaucée, peut-être y serais-je encore?

Ambitieuse

Juste avant la fin de l'été, certains nouveaux croupiers se sont fait montrer la porte, car ils ne correspondaient pas aux exigences du métier. D'autres ont quitté de leur propre chef, fuyant un monde qui ne leur convenait pas. L'emploi les dévalorisait. Je ne comprenais pas du tout leurs raisons. Moi, mon nouvel emploi me rendait heureuse et j'étais appréciée de tous. Les occasions d'acquérir des connaissances étaient exponentielles. Mais, surtout, je devenais enfin une citoyenne à part entière. Des bribes de doutes troublaient déjà ma conscience; cependant, j'étais décidée à gravir les échelons de cette puissante société. Il me paraissait évident que non seulement je ne serais pas congédiée, mais que je serais promue chaque fois que l'occasion se présenterait.

Vers la fin de la période estivale achalandée, je maîtrisais de plus en plus le déroulement du jeu qui s'accompagnait inévitablement de son lot de stress et de pression. Je m'habituais à être constamment observée. Les caméras, les superviseurs, les collègues, les clients, tous ces yeux rivés sur moi ne m'intimidaient plus. Au contraire, j'aimais être le centre d'attraction. J'en profitais pour donner le meilleur spectacle qui soit. Je me voyais comme une icône de talent et de personnalité, à la fois joviale et disciplinée, énigmatique et envoûtante. J'adorais cela.

Lorsque l'automne arriva et que les premières neiges couvrirent le sommet des montagnes, la clientèle que j'accueillis se fit de moins en moins diversifiée. Les touristes étaient rentrés chez eux. Seuls demeuraient les gens de la place et des alentours. Ces habitués qui passaient leurs soirées et leurs fins de semaine entre les murs réconfortants du casino. Malheureusement, plus les semaines passaient, et plus on voyait de chômeurs de la région franchir nos portes.

Puis, il y eut les voyages organisés. En moyenne, une douzaine d'autobus bondés de retraités canadiens ou américains arrivaient chaque matin. Dès l'ouverture, à onze heures, le plancher se mettait à trembler sous leurs pas pressés, et leur bruit sourd couvrait presque la musique encore discrète des machines en attente. Le troupeau se déversait dans une course folle pour aller s'attacher aux machines avec ses petites cartes de membre. Les employés avaient été prévenus qu'il s'agissait d'un gros coup de marketing.

Les dirigeants du casino profitaient également de la basse saison pour organiser de grands tournois. C'était une inscription à prix fixe, de sorte qu'il était impossible à un joueur de perdre plus que le coût du droit d'entrée. Les gros lots étaient très intéressants, bien qu'ils n'aient absolument rien à voir avec ceux de Las Vegas! Il y avait de l'animation toute la journée, et on traitait les participants aux petits oignons. À ma grande déception, je n'ai jamais eu la chance de dealer une table lors d'un tournoi. Ce type d'activité m'a toujours semblé être la solution idéale pour atteindre une gestion saine des jeux de hasard. Pas de pertes, que les frais d'inscription. Pas d'excès possibles, pas de perte de contrôle, pas d'abus. Un gagnant assuré. Un gros lot fixé d'avance. Pas de convoitise démesurée dans l'esprit du participant. Et quand le tournoi se termine, on n'a pas d'autre choix que de rentrer à la maison.

L'humain

Au fil des premiers mois au casino, je rencontrais des personnes possédant un haut niveau de scolarité comme des psychiatres, d'anciens ministres, des députés, des architectes, des avocats ou des médecins. Mais dans le feu de l'action, les diplômes et l'expertise de ces dignes représentants des professions libérales étaient invisibles. On décelait par leurs vêtements ou leur vocabulaire cette instruction au-dessus de la moyenne, mais leurs réactions et leurs comportements face au jeu étaient les mêmes que ceux des gens moins scolarisés ou fortunés. De l'administration de leurs sous aux commentaires répétitifs censés exorciser la déception de la perte, toutes leurs réactions étaient identiques. L'appât du gain ne fait pas de distinction entre les classes sociales.

En réalité, très peu de joueurs étaient aimables, polis et responsables. N'importe quel joueur, provenant de quelque milieu que ce soit, n'hésitera pas à envoyer promener le croupier ou à lui manquer de respect. À la limite, plus le client a le pied posé haut dans l'échelle sociale, plus il se permettra de pimenter ses commentaires. « Brasseuse de cartes ! » « Machine à laver ! » « Profiteuse ! » « Tricheuse ! » C'étaient des accusations et du harcèlement dignes de la petite école. Pourtant, ces gens-là exigeaient le respect dû à leur rang, et plusieurs de ces « personnalités émérites » dont j'ai dû subir le mépris gèrent maintenant les enjeux de notre société.

Dresser le profil du joueur ? Il n'y en a pas. Il n'y a pas de visage typique d'un client de casino. Il n'y a pas réellement de moyenne d'âge, de standards ou de repères. Certains sont très jeunes, d'autres très vieux. Des calmes, des surexcités. Évidemment, peu de parvenus, mais beaucoup de démunis. Beaucoup plus de solitaires et de vieillissants que de jeunes étudiants passionnés.

La majorité des clients arrivent avec une bonne humeur et une excitation hors du commun. Ils ont des petites flammes d'espoir dans les yeux. Leur argent est calculé, leur budget, déterminé, l'heure de départ, déjà prévue.

Alors, ils s'engouffrent dans le rythme et l'effervescence de l'atmosphère, se font des compagnons autour de la table, puis oublient d'aller dîner. Le climat est convivial comme lors d'un jeu de société. Le croupier accomplit son devoir, il anime la table de son enthousiasme et divertit intensément ses spectateurs en quête d'attention et de sensations fortes. Son ton est compatissant quand la maison emporte la main. Son regard charitable en payant une mise. La confiance se gagne peu à peu.

Puis, les heures passent, les budgets gagnent en élasticité, les mises augmentent et la flamme dans les yeux prend lentement la couleur de la cendre. La chaise était trop confortable, le client n'a pas « senti » le moment propice pour quitter cette table qui le retenait. Et, bien sûr, le croupier d'expérience ne lui a pas dit non plus, quelques heures plus tôt, que le moment était peut-être venu d'encaisser les gains et de partir. Il a continué à changer l'argent dont le montant dépensé a maintenant dépassé celui qui avait été initialement prévu. Le croupier a accompli son devoir. Il a ciblé ses clients, adapté la cadence et ses commentaires. Il a assouvi leurs désirs à chaque instant.

Je garde le souvenir précis d'une dame, en particulier. Elle était venue en voyage organisé et disposait d'un budget de 400 dollars. Elle changea une première tranche de 100 dollars en jetons de 5 dollars. Sa première mise, perdante, donna le ton à toutes les suivantes. Elle fit changer un deuxième 100 dollars, puis un troisième, et finit par me tendre le tout dernier. À peine trente minutes s'étaient écoulées depuis son arrivée. La dame me lança un regard désemparé : « Ça y est, j'ai encore huit heures à passer ici avant le départ et je n'ai plus un sou. Si je ne recouvre pas mes pertes, je ne pourrai pas payer les frais de la rentrée scolaire. » Elle avait les yeux humides et la voix nouée, mais elle se rendit tout de même au guichet automatique chercher de quoi se refaire. J'avais la tête pleine de jugements : «Non mais! Quel genre de mère choisit de dépenser tant d'argent en si peu de temps? Elle n'a pas les moyens de perdre autant, c'est évident! Quelle imbécile…» pensai-je.

Je me souviens aussi d'un vieux monsieur, sosie de mon grand-père, dont les poches débordaient d'argent. Homme de cette génération qui conserve précieusement ses avoirs bien cachés sous le matelas. Le vieil homme ne se déplaçait jamais sans une généreuse liasse de billets bruns dépassant d'une des poches de sa chemise de travail. Il choisissait inlassablement ma table. Comme pour plusieurs clients, j'étais devenue sa préférée. Au fil des jours, j'avais su créer une complicité et un attachement avec certaines personnes. Confiants, ils s'asseyaient devant moi, me racontant leurs hauts et leurs bas, leurs pertes et leurs gains, leurs espoirs et leurs déceptions. Disponible et avenante, j'établissais des liens de plus en plus superficiels avec une clientèle dont je percevais l'entière naïveté. Il m'avait fallu peu de temps pour découvrir que les gains étaient rares et que, la plupart du temps, chacun avait sa propre façon de s'amuser, mais presque tous se ruinaient de la même manière. En fait, une sorte d'ensorcellement faisait oublier aux joueurs non seulement la valeur de l'argent, mais aussi le sens et le but de leur visite.

Hasard ou contrôle

Le jeu et ses effets ne différenciaient personne. Pas de joueur type, non, mais des comportements typiques, certainement. Je me rendis bientôt compte que ce que j'avais pris pour du marginal était en fait la normalité. Au fil des mois suivants, j'allais découvrir un monde inconnu de problèmes et de manies angoissantes. Je m'aperçus que la détestable madame Gagné n'était pas la seule à affectionner un sou noir ou à frictionner un pendentif doré. Plusieurs clients se munissaient d'une relique : un vieil ours en peluche tout usé et sali ou une image de la «bonne sainte Anne» effacée par les ans, à peine visible, au fond de leur portefeuille, ou encore «un vrai morceau du saint suaire, j'te l'dis!». Souvent, aussi, ils contemplaient la photo de leur enfant. Mais quand ils ne confiaient pas à des objets le soin d'attirer la chance, ils se servaient de gestes. Nombreux étaient les joueurs qui ne faisaient rien sans répéter leurs rituels. Cela allait du populaire et machinal signe de croix, au coup sur la table au moment où tombe la carte, en passant par le dépôt d'un jeton de 1 dollar sur chaque mise. Certains allaient même jusqu'à refuser de recevoir telle couleur de jeton ou à se frotter le jeton de la prochaine mise dans les cheveux.

En matière de superstition, rien n'est à l'épreuve de l'imagination des clients. Fréquemment, on voyait un joueur caresser la table ou s'embrasser la main en y serrant très fort ses jetons. J'aperçus même une joueuse de machine à sous lécher chaque pièce de 25 cents avant de l'insérer dans la fente. Une autre dame avait rempli d'eau son pot destiné à transporter ses sous ; espérait-elle que la crasse de l'argent diluée dans l'eau fraîche lui porterait chance ?

Chez beaucoup de clients, le choix du siège était définitif. La première et la dernière positions à table restaient les plus convoitées. Selon certains livres d'initiation au black-jack, l'emplacement du joueur peut faire une différence. Mais en réalité, tant de facteurs influencent le cours du jeu que le pouvoir stratégique réel d'un siège est plutôt insignifiant. Une autre manie commune à la majorité des clients était le classement méthodique des jetons dans les cylindres. Cela facilitait le calcul de leurs pertes et de leurs gains, pour eux comme pour les employés. Ainsi, des deux côtés de la table, chacun gérait son petit coffre au trésor.

Il n'était pas rare non plus que des joueurs tentent de me baiser la main ou de la caresser, même en sachant qu'il est interdit de toucher la croupière. Si, par maladresse, je renversais leur pile de jetons, ils y voyaient un signe du destin. Si un client avait gagné avec moi la veille, le jour suivant, j'étais certaine que plusieurs habitués ne miseraient que lorsque je prendrais mon service, décidant d'effectuer une pause en même temps que moi, attendant impatiemment mon retour.

Ces manies et rituels revenaient à chaque tour de table. Côtoyer des gens avec de tels comportements devint rapidement irritant. C'était tout aussi agaçant que d'être assis à côté de quelqu'un qui agite la jambe sans relâche ou qui renâcle constamment. D'autant plus qu'il est évident que, peu importe le porte-bonheur, jouer au black-jack, c'est jouer au black-jack. Même en priant le Seigneur, la carte suivante reste la carte suivante. Le hasard est tout-puissant et impossible à maîtriser. Mais les joueurs s'obstinent à croire qu'ils peuvent avoir le dessus. Je voyais bien qu'ils croyaient dur comme fer à l'effet magique de leurs superstitions. La théorie du hasard perd de sa crédibilité quand on assiste à des moments «magiques» tout autour de soi. En fait, on associe toujours à tort le pouvoir d'un rituel au gain. Cela est une interprétation erronée de la loi de cause à effet. Pourtant, j'ai déjà vu des joueurs emprunter le fétiche d'un autre pour gagner autant que lui.

Je ne puis qu'imaginer l'ampleur et la forme des superstitions secrètes dont je n'eus jamais vent. Mais une chose est certaine : dans la plupart des cas, c'est en faisant preuve d'affection envers un objet ou le croupier que le joueur avait l'impression d'attirer la chance. Puis, peu à peu, l'impatience, les déceptions fréquentes et les pertes accumulées déstabilisaient les clients, et cette attitude se transformait en agressivité. Ils rageaient contre eux-mêmes ou leurs démons. Comme si l'un n'allait pas sans l'autre. «Si ça ne marche pas avec la méthode douce, utilisons la méthode forte!» s'emportaient-ils. «Tu veux que je perde! Je vais perdre pour la peine!» s'emballait le joueur en élevant vertigineusement sa mise.

L'argent n'a pas de valeur

Tranquillement, mes clients modifiaient toutes mes perceptions sur les casinos, mais aussi sur l'humain. Ils n'étaient pas des gens heureux en train de se divertir dans un majestueux décor, mais des caricatures grossières de l'obsession. J'étais fascinée par ce que je voyais. Même l'attitude des gagnants était à ce point en décalage avec celle qu'ils auraient dû avoir, que ma fascination n'était pas un émerveillement, mais bien une curiosité hypnotique.

Un soir, un monsieur d'une trentaine d'années sautait d'une machine à sous à l'autre dans la section V.I.P. où je me trouvais, section où chaque coup de manivelle peut coûter jusqu'à 500 dollars. Il est donc facile d'imaginer l'énormité de la somme que ce client pouvait avoir engloutie en l'espace d'une seule petite heure. Soudain, des lumières se mirent à clignoter, le son strident de la machine qui «paye» retentit, et les autres joueurs se confondirent en félicitations, verts de jalousie. Le monsieur accueillit la préposée, qui lui confirma son gros lot de 25 000 dollars.

Il fallait quelques minutes pour effectuer les formalités et rédiger le chèque, mais, pendant ce temps, il continuait à appuyer nonchalamment sur le bouton «miser» de la machine d'à côté. Je le regardais, incrédule. Espérait-il encore gagner? Les 25 000 dollars ne le réjouissaient-ils pas? Ne le contentaient-ils pas? Il sentit le poids de mon jugement se poser sur lui et me dit, droit dans les yeux : «Ça ne couvre même pas les pertes des deux derniers mois, alors, c'est bien peu pour me plaire. Le Casino me doit cet argent!»

Voici un autre exemple, celui d'un homme qui, à l'époque, était proche de moi. J'avais souvent l'occasion de le côtoyer à l'extérieur du casino et je me sentais la complice obligée de ses mensonges. Il venait parfois en cachette brûler ses économies et son chèque de pension à ma table. Parallèlement, il dépensait une moyenne de 300 dollars par jour dans les appareils de vidéopoker des bars de Québec. Cependant, il préférait de beaucoup le prestige illusoire qu'apportait la section des hautes mises et du salon V.I.P. Il ressentait alors une certaine puissance, le sentiment d'appartenir pour un moment au cercle restreint des gens riches. Le salon V.I.P. était une pièce fermée dont l'accès était réservé aux clients réguliers particulièrement lucratifs pour la maison. Ils pouvaient alors s'y réunir pour manger, boire et se pavaner.

Un jour, l'homme gagna un gros lot de 10 000 dollars. On le prit en photo, lui, sa compagne, le chèque et le directeur, sur la magnifique terrasse de l'établissement. Ce soir-là, les hôtes et hôtesses s'empressèrent de lui offrir un copieux repas afin de s'assurer qu'il ne s'éloigne pas et qu'il rejoue encore. La coutume voulait que son visage béat soit montré sur les écrans avec tous les autres «gagnants» du mois. Une petite douceur pour soulager son besoin de prestige. Tactique vieille comme le monde et pourtant extrêmement efficace. La coutume veut aussi qu'il redonne entièrement son gain au Casino en l'espace d'un été. Cet homme ne se rendit pas compte que l'image des V.I.P. était au fond bien triste, et que les sourires étaient rares. C'est ainsi qu'au bout de quelques années, il perdit toutes ses économies, son estime et sa compagne de vie.

Enfin, un troisième exemple montre bien le vrai visage des gagnants (ainsi que la mécanique exponentielle de la dépendance au jeu). Il s'agit d'une famille typique : papa, maman et fiston, tous des adultes. Ils s'installaient à une table qu'ils accaparaient des heures durant. Je n'ai pas la moyenne de leurs mises, mais je peux affirmer une chose : le gros lot d'environ 100 000 dollars remporté par la maman ne suffit à couvrir ni les pertes passées ni les dépenses à venir. La bonne humeur ne dura que quelques heures. On continua à parier encore et encore au cours des semaines et des mois qui suivirent.

Le mur des mensonges

J'avais rapidement compris la solitude des personnes qui faisaient du casino leur lieu de prédilection. La majorité des gens portaient la marque de l'isolement sur leur visage. Une routine les avait enfermés dans une mélancolie qui les poussait, me disais-je, à jouer avec le hasard pour pimenter une vie sans sensations fortes ni émotions intenses. Le casino offrait tout cela, moyennant en échange leurs économies. Le rêve, ça se paie aussi.

Je ne m'attristais pas pour eux ni ne compatissais. Je constatais tout simplement le but et la cause de leurs visites. Tant pis pour les faibles et les malheureux, pour les naïfs et les innocents. Je ne me sentais nullement responsable de l'argent qu'ils perdaient. Je ne faisais que mon travail et je ne me jugeais pas responsable de leur misère, de leur mauvais jugement, et encore moins de leur détresse. La formation et les quelques mois d'expérience m'avaient positionnée de l'autre côté du mur. Seuls comptaient pour moi le prestige et la paye : tout mon entourage admirait la façon dont je gagnais ma vie. Et même si l'exercice de ce métier me confrontait tous les jours à mes valeurs, je m'étais taillé une carapace dans la pierre de l'égocentrisme et de l'individualisme. J'accomplissais un travail impeccable. Mais pouvais-je me blâmer ? Ce travail me permettait de manger à ma faim, avais-je d'autres choix que de m'y investir corps et âme ? Ma recherche de la réussite m'amenait doucement à devenir dangereuse à force d'ambition et de compétitivité.

Outre le fait de devenir de plus en plus habile à décortiquer les mécanismes de la psychologie humaine, je réussissais à parfaire mes aptitudes à la manipulation. Ce sixième sens que j'avais développé me permettait de connaître si intimement les anges et démons de mes clients que je pouvais presque lire dans leurs pensées. Je prévoyais leurs réactions, appuyant sur leur point faible ou leur point fort au moment le plus opportun. J'appris à reconnaître celui dont les fantasmes s'inspirent des jeunes filles. Je lui offrais alors tous les sourires et l'interaction souhaités. S'il m'appelait « ma petite chérie » ou me disait que j'étais belle, je le remerciais, lui donnant l'impression que son intérêt pour ma personne me plaisait. Tant qu'il restait poli, je lui renvoyais une image agréable de lui-même. Je lui accordais toute l'attention dont il avait besoin, m'assurant qu'il garderait un bon souvenir de moi. En prime, si tout se passait bien, il ferait peut-être un bon commentaire à mon sujet à mes supérieurs.

J'avais appris à reconnaître la jalousie dans les yeux de l'épouse. Je m'acharnais donc alors à ignorer le mari et à accorder toute l'attention voulue à la femme afin qu'elle se sente importante. Je m'effaçais pour ne pas la mettre mal à l'aise et pour éviter qu'elle se compare inutilement à moi. Si monsieur me faisait un compliment, je le faisais ricocher vers madame, insistant sur ce qu'elle avait de plus beau. Par exemple, si je remarquais qu'elle avait soigné ses cheveux, j'insistais sur la perfection de la mise en plis. Il suffisait d'observer. Si elle quittait la table, je regagnais immédiatement l'intérêt du mari. Il comprenait alors l'attitude que j'avais eue et adorait sentir qu'il flirtait en cachette.

Il y avait aussi les habitués. Ceux avec qui on passe des heures. À la longue, leurs faiblesses, leurs préférences et leurs petits caprices se dévoilent, et on les connaît par cœur. Je faisais toujours un petit effort pour que leur routine et leurs rituels soient respectés. Je savais par exemple qu'une certaine dame adorait doubler sa mise, alors je m'affolais avec elle avant de laisser tomber la carte. Je criais fort «black-jack!» pour que les gens alentour fassent attention à elle, chose dont elle raffolait par-dessus tout. Un autre voulait absolument que je m'offusque un peu à chacune de ses blagues sexistes. Il devenait bouder si je restais indifférente à leur effet, alors je feignais d'être au moins légèrement outrée.

Des joueurs souhaitaient que je les regarde dans les yeux avant de leur donner la deuxième carte. Ou que je réserve leur siège cinq minutes de plus que celui des autres. Je devais trouver spirituel l'humour grivois du gros «mononcle» et m'amuser des commentaires du groupe de divorcées frustrées venues se défouler.

Cette faculté de percevoir immédiatement l'état d'esprit du client se renforçait de jour en jour, d'individu en individu. Lorsque je me retrouvais dans la section V.I.P., où les plus gros joueurs se rassemblaient, je m'exerçais à les faire «cracher» le plus possible. Ayant développé un profond mépris pour les «riches sans cœur» qui ont perdu toute notion de la valeur de l'argent, je n'avais pas envie qu'ils gagnent. Alors je ne laissais rien au hasard. La valeur des jetons que je leur remettais au moment de leur arrivée à la table. Le rythme avec lequel je distribuais les cartes. Mes gestes devenaient hypnotiques, mon ton se faisait solennel. On voulait jouer les bourgeois? Je me faisais commune. On voulait jouer les grosses légumes? J'étais impressionnable. On voulait m'intimider? Je demeurais discrète. On voulait me diminuer? Soudain, j'étais sensible. J'adorais cela, puisque, pendant que mes clients tiraient jouissance de la satisfaction de leurs caprices, les heures passaient et leurs pertes venaient grossir mon plateau. J'y prenais plaisir. C'était aussi un peu ma propre compulsion que je nourrissais. Je préférais gagner plutôt que de faire gagner. De toute façon, les gagnants finissaient par tout reperdre. Alors pourquoi se réjouir de leurs gains?

La plupart du temps, nous connaissions par cœur le montant exact que le client avait changé en jetons, ainsi que ses gains et ses pertes. Sous mes yeux, en m'incluant dans ses supercheries, le mari mentait à sa femme venue s'enquérir de la situation entre deux parties de machine à sous : « On est en train de gagner, ma belle ! » ou « J'ai quasiment rien perdu, des *peanuts* ! » Et si l'épouse cherchait une confirmation dans mon regard, je devais appuyer les dires du joueur ou éviter toute réponse qui aurait pu mettre en doute sa crédibilité. Souvent, le client me remerciait, croyant que j'étais complice par amitié ou compassion, ignorant que cela faisait partie de ma description de tâches. Voilà bien l'excellence du service à la clientèle.

Non seulement j'appuyais le joueur à problèmes dans ses machinations, mais je lui prouvais que, peu importe la profondeur du trou qu'il se creuserait, le Casino tout entier s'assurerait de cacher la montagne de preuves qui s'accumulaient. La maison de jeu est un havre de paix où tout est permis : les mensonges, la maladie, la névrose, l'irresponsabilité, et le tout servi avec le sourire et la complicité. Comme si la société d'État leur disait : « Le temps que vous êtes entre nos murs, vous êtes à l'abri de vos responsabilités. Votre dépendance est un divertissement, et nous sommes là pour vous appuyer, totalement. Nous ne laisserons personne briser votre monde illusoire. C'est un engagement de notre part. »

Mes cobayes

Aujourd'hui, je peux dire que j'ai manipulé des centaines de personnes pour leur plaire et plaire à mes patrons. Pour leur déplaire aussi et maîtriser la situation. Car je considérais qu'on était sur mon territoire. Telle une louve, je m'appropriais ma table, ses valeurs et ses clients comme une véritable zone à protéger. J'étais maîtresse de tout l'environnement. Je voulais être la reine de mon royaume. J'aimais de plus en plus les mises importantes, les responsabilités considérables, les clients expérimentés. Ma dépendance au jeu se personnalisait. Combien de fois ai-je laissé mes émotions prendre le dessus, adaptant mon attitude face à un joueur, lui témoignant du mépris ou usant de favoritisme à son égard? En maintes occasions, je me suis surprise en train de choisir qui j'allais lyncher ou dorloter. Parfois, si un client désagréable remportait la mise, je lui enlevais son plaisir en saccadant mes gestes et en m'abstenant d'émettre des propos motivants. Les «chialeux» et les machos étaient ceux pour qui j'appliquais cette tactique avec le plus de plaisir. Si je jugeais qu'un joueur antipathique ne méritait pas de se trouver longtemps à ma table, je m'investissais à fond pour l'en déloger. Et si faire fuir des clients fonctionnait, l'inverse fonctionnait tout autant. Je me créais un monde bien à moi, devenant peu à peu une véritable spécialiste de l'abus de pouvoir. De mon côté de la table, tout était permis. Ce qui se passait dans ma tête m'appartenait. J'empruntais tous les détours pour ne pas avoir à affronter mon sens moral, accordant à ma conscience toute possibilité de demeurer intacte afin de continuer à tirer satisfaction de mon emploi.

Mais, imperceptiblement, le travail se faisait plus lourd à porter. Les moments les plus difficiles avaient généralement lieu en fin de soirée. Les joueurs harassés commençaient à se plaindre et à être agressifs après avoir été soumis à une foule d'émotions éprouvantes à force d'intensité. L'épuisement les avait rendus maussades.

Les clients des casinos sont des personnes vulnérables qui étalent sous vos yeux leurs faiblesses et leurs névroses obsessionnelles dans leur plus simple appareil. Les maisons de jeu sont de véritables laboratoires pour qui veut étudier l'humain dans ce qu'il a de plus vil et de plus laid. J'ai exploité jour après jour mes capacités d'adaptation et mon don d'analyse de la personnalité, en prenant pour cobayes des femmes et des hommes malheureux et fragiles. J'éprouvais du plaisir à tendre leurs nerfs. Je jouissais carrément à leur faire vivre des émotions malsaines et soutenues pour mon propre agrément. J'adorais être celle qui maîtrise tout. Je croyais qu'en les torturant, en usant de cette manière forte, certains finiraient par voir clair et ne reviendraient jamais plus. Je me suis surprise tellement souvent à me délecter de remporter des tours de table. Je ne sais pas d'où venait ce besoin d'avoir le dessus, de châtier certains joueurs en l'emportant sur eux. C'était un mécanisme de défense, je crois. J'imagine que mon inconscient avait trouvé cette façon de réagir pour protéger mon cœur et ma conscience des souffrances issues de l'implication émotionnelle. En me plaçant au-dessus des joueurs, je devenais inatteignable. En dominant leur faiblesse, je restais une gagnante, vierge de toute blessure morale.

Bébé dort

Il arrivait que des joueurs versent une larme ou éclatent en sanglots. Mais, même à ce point désemparés, ils ne cessaient de jouer pour autant. Ils pleuraient tout en me demandant de changer des coupures. Et ils misaient plus fort. Personne, ni les superviseurs, ni les autres employés, ni moi, n'avait le droit de dire à un joueur visiblement en difficulté que la meilleure chose à faire était de rentrer chez lui. Qu'il devait se reposer et réfléchir calmement, à l'abri des pièges de ce lieu. Pas même les autres joueurs, qui ne se risquaient à y aller d'un conseil, puisque l'éthique veut qu'ils ne s'en mêlent pas. Au mieux, nous lui demandions : « Est-ce que ça va aller ? Pouvons-nous faire quelque chose ? » À cette question, le client en détresse répondait : « Je veux seulement gagner… Y faut que j'me refasse ! » Parfois, certains, le regard troublé, m'interrogeaient : « Est-ce que ça se guérit ce que j'ai ? » Après un tel appel à l'aide, des intervenants étaient-ils dépêchés sur place ? Jamais de la vie ! Et surtout pas du temps où j'étais employée par la Société des Casinos du Québec. Madame Gagné, cette vieille femme que j'avais servie à mon premier jour, une des clientes les plus malades et les plus solitaires, était hébergée, nourrie et escortée aux frais de la maison. Mais lui proposait-on d'être soignée, lui offrait-on une aide psychologique ? Pas le moins du monde. Et un cas comme celui-là n'était pas isolé.

Un jour, je vis un homme pousser une femme en bas de sa chaise et la traîner par les cheveux sur plusieurs mètres. Il y avait beaucoup de monde et beaucoup de bruit, ce soir-là. Un peu trop d'agitation probablement, car bien que je soutins le regard de l'individu durant quelques secondes, il ne lâcha pas prise, encouragé j'imagine par l'insouciance générale. Personne n'est intervenu. J'appelai le chef, l'agent de sécurité ; aucun d'eux n'a réagi. Pas un des clients à ma table n'avait bronché. Peu de temps après, l'agressée et son agresseur étaient tous deux de retour, guillerets, un verre à la main.

Il me revient aussi en mémoire l'histoire d'une famille qui nous rendait généralement visite en début de mois. Un père accompagné de ses deux filles et de son fils. Leurs vêtements étaient usés à la corde, démodés de dix ans, et témoignaient de leur extrême pauvreté. Leur manque d'instruction était flagrant. Le papa, assez vieux, avec une dentition qui n'avait jamais connu de dentiste, traînait une haleine nauséabonde de tabac, d'alcool et d'alimentation douteuse. Ses filles étaient assez rondes et timides, réservées à l'extrême. L'insécurité perçait à travers le calme et la douceur de leur jeune vingtaine. L'une d'elles avait de beaux et longs cheveux châtain clair. Elle portait des bijoux de pacotille, ternes et dépareillés. Le jeune homme arborait fièrement une petite moustache bien taillée qui détonnait avec son t-shirt transparent d'usure.

La présence de cette famille aux tables de black-jack suscitait toujours un malaise, tant chez les joueurs que chez les employés. On se retournait sur leur passage en pestant contre leur puanteur, certainement due au fait de devoir vivre plusieurs jours dans la promiscuité de leur véhicule stationné gratuitement sur les aires du casino. Au bout de quarante-huit heures, nous priions tous pour que ces gens ne choisissent pas notre table.

Cette famille, gouvernée par un père enjoué à l'arrivée, se trouvait au bout de quelques heures seulement sous l'emprise d'un homme agressif, brûlé par l'alcool, manipulateur et extrêmement dur. Plus d'une fois, je l'ai vu forcer sa propre fille à l'embrasser avec la langue afin qu'elle ait droit à quelques jetons pour miser. Devant le personnel, la multitude des caméras, devant les joueurs et les superviseurs, il engouffrait sa langue nauséabonde entre les lèvres traumatisées de sa fille.

J'avais fini par m'intéresser à elle. Je n'avais jamais vu une demoiselle à la fois aussi douce et aussi peu armée pour affronter la vie. Depuis toujours, elle devait goûter à la perversité des hommes, souffrir des regards méprisants et des attaques des filles de son âge choyées par la vie, mais elle semblait avoir gardé son intégrité et sa droiture. Elle avait gagné mon respect, et je me rappelle avoir souhaité pouvoir mettre un baume sur la tristesse que trahissaient ses yeux bleus.

Par la suite, j'appris malheureusement de source sûre que cette jeune victime d'inceste était devenue maman. Mère de l'enfant de son propre père. Mère de l'enfant de cet homme qu'elle devait satisfaire chaque fois qu'elle avait besoin de quelque chose. Ses yeux bleus étaient un océan de ravages. Et pourtant, je l'ai déjà vue sourire. Me sourire. Elle disait « Merci » et « S'il vous plaît ». N'avait-elle pas mérité que quelqu'un lui sauve la vie, la sorte de cet enfer, lui donne enfin droit à la dignité ?

Je n'avais pas la possibilité d'appeler la police ou un travailleur social, puisque la jeune femme était majeure. Elle aurait dû porter plainte elle-même. Or, elle ne le faisait pas. Et sans plainte, il n'y a, paraît-il, pas de crime. Mais j'aurais voulu au moins l'emmener au restaurant avec moi pour l'écouter et lui offrir mon soutien. Les règlements internes ne nous permettaient pas de proposer à nos clients une rencontre à l'extérieur de l'établissement. En le faisant, je risquais fort de perdre mon emploi. J'étais donc le témoin impuissant de la grande détresse de cette femme. Sans l'ombre d'un doute, cette famille troublait l'image prestigieuse de l'établissement, elle était cependant traitée, étonnamment, avec beaucoup d'indulgence. Bien sûr, le casino n'est pas un service d'assistance sociale. Mais je me demandais sincèrement où se situait la limite de l'acceptable. Agression sexuelle, inceste et violence psychologique n'étaient pas plus perturbateurs pour les profits que toutes les horreurs assumées et alimentées par le casino.

Mais une autre chose, inusitée, venait alourdir davantage un emploi déjà difficile à assumer. Au Casino de Charlevoix, je pus à plusieurs reprises voir des gens qui n'avaient pas réussi à quitter leur machine à sous à temps et avaient fait leurs besoins sur leur siège, et même jusque sur le plancher. De l'urine comme des excréments. Bien que le casino permette de réserver la machine porte-bonheur le temps d'aller se soulager, beaucoup de clients ne peuvent se résigner à prendre une pause, obsédés par la machine programmée et une promesse de gagner bientôt… Envoûtés au point d'en négliger les besoins les plus élémentaires, ils s'oublient.

C'est à ce moment qu'une armée de préposées dévouées et bien entraînées s'affaire à minimiser l'inconfort que le client vient de s'infliger. La chaise est rapidement remplacée, les désodorisants sont allègrement vaporisés. On escorte rapidement la personne jusqu'à la salle de bain, mettant à sa disposition serviette et savon. On lui fournit également des vêtements de rechange et on enverra chez le nettoyeur les vêtements souillés.

Mes narines se souviennent d'une occasion particulière où un client avait déféqué durant sa course vers la salle de bain. L'odeur était si insoutenable qu'on avait dû fermer complètement l'accès aux escaliers menant aux toilettes. Le haut-le-cœur qui me prit quand je dus rebrousser chemin ne me quitta pas de la journée.

Combien de fois ai-je accueilli à ma table de vieilles dames empestant l'urine ? Assise devant moi des heures durant, la respectable grand-mère m'empêchait de respirer librement. J'étouffais, prenant mon air par la bouche pour limiter le mal de tête qui me gagnait. Je tentais de faire abstraction de l'odeur qui me montait au nez, comme à chaque journée de travail où je mentais à ma conscience. La puanteur contribuait à me dégoûter encore plus de la déchéance qui m'entourait. Déchéance à laquelle je m'associais, dans laquelle je m'intégrais. « Un black-jack ! Un black-jack ! » chantonnait grand-maman pipi, les sous-vêtements souillés collés au derrière. « Pourquoi pas ! C'est vrai que vous n'avez pas eu de black-jack depuis un moment ! » l'encourageais-je. « Pourquoi pas une bonne douche ! Ça doit faire un bon moment », pensais-je.

Mais ces tristes histoires de disgrâce ne sont pas propres au Casino de Charlevoix, bien au contraire. Ce sont celles de toutes les maisons de jeu du monde.

Isabelle Lortie, croupière durant cinq ans au Casino de Montréal et à celui de Charlevoix, m'a raconté qu'à Montréal, un homme était mort à une table de jeu. Avant que la civière arrive, des joueurs avaient déjà demandé au croupier de réserver sa place.

Un collègue m'a avoué qu'au Casino de Montréal, on avait déjà découvert un homme qui se masturbait intensément tout en jouant à une machine à sous. Pas très surprenant qu'une perversion s'allie à une dépendance. Bien entendu, les employés du casino sommèrent cet homme de cesser, mais pas de quitter les lieux. Il demeura le bienvenu en ces murs et, bien que les membres du personnel l'eussent gardé à l'œil le reste de la journée, ce monsieur ne faisait pas partie des clients potentiellement dangereux. Dans un casino, on ne traque que les voleurs, les tricheurs ou les experts du jeu.

L'éthique au casino n'est pas le reflet de l'éthique qui prévaut dans la société. Dans n'importe quel autre endroit public, des personnes aux comportements aussi dérangeants auraient été immédiatement mises à la porte ou envoyées au service de police qui aurait alors recouru à un professionnel de la santé. Dans un cas comme celui où le joueur est à ce point enfoncé dans sa maladie qu'il en vient à marier l'excitation sexuelle au jeu de hasard, on se contente simplement de « l'avoir à l'œil ». J'irais même jusqu'à dire que cet homme dut être considéré comme un bon client. Il raffolait visiblement de ce que la maison lui offrait ; pourquoi faire tout un plat de ce comportement et priver les coffres de l'argent d'un homme aussi amoureux de sa machine ?

Aujourd'hui, sept ans plus tard, un exemple symbolise encore pour moi l'hypnose obsessionnelle du jeu que je rencontrai dès mon premier quart de travail. Une jeune Chinoise enceinte d'au moins sept mois se promenait hystériquement d'une table à l'autre. Son ventre la tenait largement à distance de ses mises. Visiblement, l'idée de dormir ne l'avait pas même effleurée. Elle avait passé la nuit debout jusqu'au petit matin.

Entre deux mises et une dizaine de râles, madame Gagné ne retint pas le commentaire que tous autour s'étaient abstenus d'émettre : «Le bébé doit être fatigué!» «Bébé dort», répondit juste la Chinoise, complètement absorbée par une transe étrange qui me fit plisser le front. J'entends encore résonner dans ma mémoire ces deux mots imprégnés de symbolisme : bébé dort! Cette phrase lapidaire est devenue pour moi et pour mes proches la façon de désigner une totale irresponsabilité.

CHAPITRE 3

L'enchaînement

Plus les joueurs jouent, plus ils passent de temps entre les murs du casino, plus ils dépensent, perdent, et plus la maladie s'ancre en eux. Les symptômes se manifestent par l'augmentation de leurs mises de jour en jour. Leurs pertes deviennent proportionnelles à leur enlisement dans le jeu devenu compulsif. N'importe quel joueur le dira : au fil du temps, les pertes augmentent parce que les sommes d'argent investies augmentent.

On entend souvent des joueurs compulsifs expliquer ainsi leur déchéance : « J'ai eu la malchance de gagner. » Les voilà, ces fameux gagnants des gros lots. Ce sont presque toujours des gens qui ne devaient pas gagner. Tout se résume à l'équation suivante : plus on joue, plus on gagne, plus on gagne, plus on joue, et plus on joue, plus on perd. Pour un individu, la probabilité d'être frappé par la foudre est de 1 sur 240 000. Mais la chance d'emporter le plus gros montant aux machines à sous peut aller jusqu'à 1 sur 33 554 000. Il faut donc se promener des heures et des heures durant dans les champs de la misère, bâton de fer à bout de bras, avant d'être frappé par la fortune.

C'est avec le recul que je peux aujourd'hui comprendre les comportements aberrants, les horreurs et les moments de folie qu'ont pu vivre les clients de cette maison infernale. Maintenant, je sais que les joueurs compulsifs ne sont ni des faibles ni des imbéciles, bien que j'aie longtemps cru le contraire. Les explications du docteur en psychologie Jean Leblond* m'ont permis de comprendre ce que vit un joueur compulsif :

« Imagine que tu te promènes dans le bois. Le sentier est agréable et tu t'amuses beaucoup. Soudain, le sol disparaît sous tes pieds et tu commences à chuter dans un vide qui t'apparaît sans fin. Au début, tu as des gestes réflexes pour tenter de trouver un appui. Cela n'est pas efficace. Tu as alors une première réaction émotive qui te suggère des gestes de panique. Mais, tu te ressaisis et entreprends plus rationnellement de faire des gestes susceptibles d'éviter une chute fatale. Malheureusement, tu tombes dans le vide, et rien n'est profitable. Après avoir tenté tout ce qu'il était intelligent de faire, tu as le choix entre ne plus rien faire et finir par t'effondrer sur le sol, ou tenter des gestes irrationnels au

---

* Jean Leblond, Ph.D., a été chercheur au Centre québécois d'excellence pour la prévention et le traitement du jeu (CQEPTJ). Actuellement, il est le principal conseiller scientifique du recours collectif des joueurs pathologiques intenté contre Loto-Québec. Il est aussi l'auteur du rapport *Évaluation de la dangerosité des appareils de loterie vidéo*, déposé en mai 2004.

cas où ils parviendraient à t'aider. Les comportements aberrants des joueurs pathologiques sont souvent la suite d'efforts rationnels infructueux. Avant la faillite ou le suicide, ceux-ci tentent l'irrationnel plutôt que de ne rien faire. Quand cette situation implique des stress particulièrement intenses, cela peut inclure des comportements sexuels vraiment bizarres comme en témoignent les comportements dans les camps de concentration nazis alors que la mort était omniprésente. On voit la même chose dans les hôpitaux psychiatriques ou les prisons où la sécurité est défaillante. Quand la mort ou une morbidité environnementale dominent la pensée, des processus sexuels inhabituels semblent s'enclencher. Pour ces raisons, je crois que la description des comportements extrêmes des joueurs ne devrait pas les présenter comme des dégénérés (préalablement à l'expérience du jeu), mais comme des personnes écrasées par une situation traumatique et privées des ressources externes qui auraient été salvatrices. Les comportements aberrants témoignent davantage du désespoir et de l'isolement que de la perversion ou de la folie. »

Loin d'être passionné par sa vie banale et souvent vide de tout contact charnel, le joueur compulsif aurait tendance à personnaliser sa machine et à entretenir avec elle une relation émotive, voire « amoureuse ». Il m'est fréquemment arrivé de surprendre un joueur tenant des propos tels « Ma chérie, paye-moi cette fois-ci », « Vas-y, ma belle, fais-moi plaisir, mon amour ». Je ne peux qu'imaginer ce que certains osaient se dire tout bas… Pourtant, Jean Leblond ajoute : « Bon nombre de psychologues ont noté comment de nombreux joueurs pathologiques en viennent à parler à la machine comme à une personne, mais aucun n'y perçoit vraiment une relation fondée sur la sexualité. Bien sûr, des comportements sexuels aberrants peuvent survenir lorsque la situation financière devient catastrophique. Cela est plutôt la conséquence d'un stress sévère et non du jeu pathologique. La proposition d'une motivation sexuelle à jouer provient plutôt des psychanalystes (qui ne sont pas nécessairement psychologues). Ce point de vue est aujourd'hui jugé obsolète. Étant donné les sommes d'argent considérables qu'ils y investissent, beaucoup de joueurs considèrent plutôt leur machine de prédilection comme leur propriété. » Les symboles sur les rouleaux sont justement étudiés en vue de créer ce sentiment d'appartenance. Le fait que ce soient des symboles graphiques et non des chiffres qui y sont représentés n'est nullement le fruit du hasard. Une association affective s'établit bien plus efficacement avec une gentille et mignonne petite cerise rouge ou avec un cochonnet tout rose qu'avec un deux ou un six.

À quel prix

Depuis la préadolescence, je gagnais mon argent de poche. Émancipée avant d'avoir seize ans, la satisfaction du travail accompli m'avait toujours valorisée. Je savais ce que signifiait l'expression « à la sueur de son front ». Mon autonomie précoce m'amena à maintes occasions à manger des croûtes, parfois moisies. Je comptais chaque sou et j'analysais mes choix avant chacune de mes dépenses. J'avais été, jusque-là, une petite fille disciplinée et responsable du salaire que je gérais comme un coffre au trésor. Mais la jeune adulte devenue croupière brisait peu à peu l'équilibre de son rapport avec l'argent, qui avait toujours été vécu sainement. Le rôle que je tenais dans ce théâtre de démesure me projetait dans une folie incompréhensible et envahissante. Tous mes principes se mirent à s'entremêler avec les multiples aberrations que j'alimentais.

Il m'était de plus en plus difficile de supporter les comportements obsessionnels de tous ces individus qui pouvaient répéter des dizaines et des dizaines de fois la même invocation ou le même commentaire : « Donne-moi une belle carte, donne-moi une belle carte… », « Petite démone, petite démone ! », « On récupère, on récupère ! », « Paye ! Paye ! » Sans compter leurs gestes saccadés et aussi répétitifs que les procédures du jeu elles-mêmes. Leur façon de tripoter leurs jetons, l'entrechoquement perpétuel de ceux-ci entre leurs doigts humides, leur coup de poing sur la table à chaque tour perdant, leurs tics nerveux. Leur fumée de cigarette volontairement projetée dans mes yeux, sans parler des attaques personnelles. C'était un harcèlement continuel et épuisant.

Autant de sommes gaspillées pour si peu d'euphorie ! Autant d'argent englouti dans le gouffre sans fond du jeu compulsif. Voilà ce dont j'étais témoin et qui me torturait. Au fil du temps, le fameux *dust off* devint pour moi un signe de déresponsabilisation plutôt qu'un signe d'intégrité. Plus la journée avançait, plus les *dust off* s'accumulaient. Autant de «je m'en lave les mains» que d'argent volatilisé. D'ailleurs, plus les mois passaient, plus je faisais ces *dust off* en dehors des murs du casino. Ma déculpabilisation se projetait sur l'épicier et même sur mon conjoint.

À peine plus d'une année après le début de ma vie de croupière, je commençais à pleurer. Tous les soirs, je pleurais pendant des heures en tentant de chasser les commentaires horribles et les injustices qui hantaient peu à peu ma conscience. Je me mis lentement à me détester d'avoir tout fait pour intégrer ce cercle fermé de personnes insouciantes et méprisantes. Paradoxalement, ma famille était toujours aussi fière de moi, tout comme l'homme qui partageait ma vie, et je me sentais coupable d'avoir fait naître cette fierté dans le cœur de ceux qui m'aimaient.

Je me mis à avoir peur de perdre la tête en même temps que mon sang-froid. J'essayais de me convaincre que je devais me fortifier afin que les assauts répétés des clients ne puissent plus m'atteindre. Je devais m'endurcir et me persuader que le malheur des joueurs n'était pas de mon ressort, que je ne faisais que mon travail. Je devais me battre contre mon sentiment de culpabilité grandissant. J'étais prête à emprunter tous les détours possibles pour ne pas avoir à affronter mon sens moral et demeurer intacte afin de continuer à retirer des satisfactions de mon emploi. Car à environ 20 dollars l'heure, j'étais payée pour faire taire mes protestations. À l'époque, j'avais un prix. Je n'avais certes pas effectué tout ce chemin pour repartir de zéro. Je devais me laisser une chance. Personne n'a tout déjà cuit dans le bec. La réussite est le résultat du travail et des compromis.

Toujours plus

Un peu avant d'entamer le second été, on nous offrit une formation de quelques jours sur le service à la clientèle appelé «Casino +». J'espérais que l'on y peaufinerait mes nouveaux talents. Je souhaitais que mes relations avec la clientèle malade ne soient plus une source de mal, de honte et de culpabilité pour moi. Le petit plus qu'on allait nous demander d'offrir ne serait malheureusement qu'un instrument supplémentaire pour mieux tourmenter. Plutôt que de faire peau neuve, j'ai durci ma carapace. Mais je dois avouer que les enseignements de cette formation m'ont suivie toute ma vie et m'ont été d'une grande utilité dans presque tous mes emplois ultérieurs. Les outils que j'y ai acquis m'ont aussi servie dans mes relations avec les autres. J'ai même la prétention d'être devenue un exemple de diplomatie.

On nous apprit d'abord la base de toute réaction humaine. Pour cela, le formateur se servit de l'image du bagage que nous portons métaphoriquement comme un sac sur notre dos. Selon sa théorie, notre sac est chargé de cailloux de différents poids et de diverses grosseurs. Chaque caillou représente une expérience ou une empreinte du passé. Imaginons par exemple que, pour une personne, la roche qui lui fait courber le dos soit le symbole et le résultat des humiliations infligées par un père autoritaire. Que, pour une autre, les pierres précieuses qui lui donnent son sourire et sa bonne humeur soient les symboles de ses réussites et de ses exploits de jeunesse.

Cette excellente image servait à justifier l'attitude ou le comportement des gens. Nos réactions s'expliquaient par le poids et le contenu de notre propre sac de cailloux. L'exercice fut très enrichissant. Les jugements, les préjugés et le mépris s'effacent peu à peu quand on garde en tête ce symbole.

D'abord, je commençai à vider mon propre sac de ses poids morts. Je traînais avec moi des pierres qui ralentissaient ma marche. Les peines de petite fille, les rancœurs envers mes parents, l'amertume des années gaspillées, la culpabilité d'avoir échoué à un moment... Délaisser toutes ces pierres allait me permettre de ressentir un immense soulagement. Le désir de m'améliorer était une des pierres précieuses que je conserverais toute ma vie. J'espérais garder dans mon baluchon que de jolis petits cailloux blancs. Pour voyager léger.

Dans cette formation, on nous fit comprendre qu'en étant plus libre, on devenait plus fort et mieux disposé à reconnaître la lourdeur sur les épaules d'autrui. C'est à cette époque que mon intérêt pour le vécu et les expériences des autres se développa. J'espérais qu'une fois mon sac allégé, je pourrais me permettre de décharger celui des autres. Pourtant, ce n'était pas vraiment le but de la formation, car on y apprit que la sympathie était le dernier sentiment que nous devions ressentir envers le client, l'empathie étant le maximum de ce que nous pouvions nous permettre d'éprouver.

Mais peu m'importait : à cette époque, je me fixai un nouvel objectif qui explique aujourd'hui ma nouvelle vocation. Je voulus essayer de comprendre le joueur plutôt que de le mépriser. Puisque la croupière sans cœur que j'étais devenue n'avait pas réussi à faire taire l'idéaliste rebelle que j'avais été, je m'empressai de prendre cette porte ouverte vers le salut. Le salut de mes victimes et le mien, bien entendu. À défaut de ne pas changer le monde, je pourrais peut-être le sauver !

Au cours de cette formation, on nous enseigna également les façons les plus efficaces pour donner l'impression au client qu'il est roi et maître ainsi qu'à fournir les meilleures réponses aux pires questions. Par exemple, les phrases « Je ne sais pas » ou « Je vais essayer » sont à proscrire. Elles comportent une ignorance ou une ambivalence. Il ne faut pas non plus dire au client « Avez-vous compris ? » après lui avoir fourni une explication, mais plutôt : « Me suis-je bien exprimée ? » Tout comme on se doit d'ajouter « Si je comprends bien… » avant de poursuivre, après que le client nous a exposé sa demande. Car l'employé est obligatoirement l'interlocuteur qui ne saisit pas bien, le client ne pouvant être celui qui s'exprime mal. Ce détail permet très subtilement d'accorder crédibilité et importance aux demandes du joueur. À la fin de chaque solution apportée, de chaque réponse donnée, l'employé devait ainsi s'enquérir de l'état de satisfaction du client : « Ai-je bien répondu à votre besoin ? Puis-je faire autre chose ? » D'ailleurs, il était obligatoire d'offrir au moins deux solutions à chaque problème. Cela démontrait ainsi la grande flexibilité du subordonné et son habileté à multiplier les efforts pour satisfaire la clientèle. En permettant au client de désigner ce qui comblera ses attentes, cela a le mérite de conforter son impression de pouvoir.

Plusieurs heures de mises en situation furent consacrées à maîtriser la manière optimale de répondre à de simples questions ou de gérer des conflits. Nous étions devenus des experts dans l'art de modeler notre attitude, et notre dévouement à la réputation de l'entreprise avait pris une ampleur considérable. Nous voulions désormais devenir une chaîne puissante. La force de cette chaîne résiderait dans son maillon le plus faible. Voilà pourquoi tous devaient être au sommet de leur rigueur. Une nouvelle doctrine qui nous façonna encore un peu plus. Les anecdotes qui suivent sont de bons exemples de l'efficacité de cette formation.

Un jour, forte des habiletés acquises dans cette formation, je risquai un exercice intéressant en tentant de deviner l'emploi de mon client. Le sujet soumis à l'exercice était un gros monsieur en vacances, jovial et détendu. Il parlait fort et de façon éloquente, glissant parfois une expression anglaise tout en dominant l'animation de la table. Dans la bonne humeur collective, je manœuvrai pour amener la discussion sur le terrain des métiers. Je dis alors à ce monsieur : « Ce doit être agréable de travailler avec vous. Vous êtes sympathique, je crois même que je pourrais deviner l'emploi que vous occupez. » La tactique fonctionnait : un compliment pour que le monsieur se sente à l'aise et me fasse confiance, suivi d'une suggestion déguisée en question qui entraîne obligatoirement une réponse instantanée parce que posée comme on prend un pari. Comme je n'avais pas le droit d'interroger mes clients sur leur vie privée, ils devaient me l'offrir eux-mêmes. L'homme accepta, et toute la table s'intéressa alors à mes spéculations. « Monsieur, je crois que vous êtes un professeur, au secondaire, un professeur d'anglais. » Monsieur l'enseignant se tut tout à coup ; son mutisme frôlant l'hébétude me prouva que j'avais mis dans le mille.

Tout excitée, sa voisine m'interrogea à son tour : « Si tu es si bonne, dis-moi où j'ai travaillé toute ma vie. » Je détaillai la dame : dans la cinquantaine avancée, parfaitement coiffée et maquillée, tailleur classique, manucure et bijoux discrets mais de bon goût. Ayant remarqué sa discipline et le respect des conseils que les joueurs lui prodiguaient, je lançai une première idée : « Secrétaire… juridique, ou alors vous avez travaillé pour une société importante dans le domaine juridique. » Elle me regarda, impressionnée : « Ah, ça alors ! Tu es douée. J'ai travaillé trente ans pour une étude de notaires ! »

La tablée s'énerva, et tout le monde voulut y passer. La troisième mise à l'épreuve fut plus ardue, car la femme en question aurait pu occuper une centaine d'emplois différents. Par contre, j'avais noté que la cliente complimentait beaucoup les joueurs, qu'elle arborait des vêtements dernier cri et n'était pas du tout timide. Très sûre d'elle, elle était même un peu directive dans ses propos. Comme de toute évidence elle espérait que je me trompe, je m'appliquai encore davantage : «Vous êtes vendeuse, mais aussi gérante d'un magasin de vêtements pour femmes.» Surprise, elle me lâcha un vif «Comment tu fais?». Je me surprenais moi-même. Trois sur trois.

C'est à la quatrième tentative que je perdis un point. La cliente était peu féminine, vêtue de vêtements amples et défraîchis, les cheveux en bataille, sans maquillage. Je me disais qu'elle occupait certainement un poste assumé d'habitude par des hommes. La propreté de ses mains me signalait qu'elle n'était pas mécanicienne. Et elle était bien trop chétive pour œuvrer dans le domaine de la construction. Elle était aussi trop négligée pour faire partie de l'armée. J'avais beau la scruter, je n'arrivais pas à arrêter mon choix. Comme je n'avais rien à prouver, puisque ce n'était qu'un jeu, je me risquai : «Vous êtes chauffeuse de camion?» «Non, je suis bouchère», me répondit-elle désolée.

Pour perfectionner encore notre approche de la clientèle, nous eûmes droit à une formation supplémentaire consacrée au code vestimentaire. Une dame prude et vertueuse s'efforça de nous inculquer les rudiments des bonnes manières, ainsi que plusieurs trucs pour éviter de froisser les clients. En plus d'une révision des principes de base de l'hygiène corporelle, on nous précisa qu'une grande rigueur concernant le port des bijoux était de mise. Selon l'experte engagée par le casino, porter une bague ou un bracelet de valeur pouvait susciter la jalousie de certaines clientes. «L'employée qui les dépouille ne devrait pas avoir les moyens de s'embellir de fastueux apparats», disait la formatrice, en roulant ses r. Ainsi, plusieurs croupières retiraient-elles systématiquement leur bague de mariage pour dealer. J'allais d'ailleurs, moi aussi, un jour, apprendre la leçon. La délicate alliance que je portai, quelque temps plus tard, ornée de minidiamants, était ce qu'on appelle un « semi-éternité ». Elle ne coûtait qu'une centaine de dollars, donc je ne la retirais jamais. Pourtant, quelqu'un a réussi tout de même à me lancer une remarque désobligeante sur le symbole de mon amour. Un jour, une dame me dit : « C'est ça, ta bague de mariage ? C'est juste un petit jonc semi-éternité ! Ce n'est pas comme un vrai jonc éternité. Quel genre d'union ça va donner ? » J'ai répondu : « Comme l'éternité est très longue, je vais me contenter de la moitié. » J'eus la preuve, cette journée-là, que les clientes remarquaient les bijoux que nous portions et même dans le cas de bijoux bon marché, ils pouvaient servir de prétexte à la méchanceté gratuite, au gré de la cliente.

Au cours de cette formation, on nous apprit également que le parfum était à proscrire, car une cliente pouvait connaître les fragrances de renom. Alors si, par malheur, une femme portait une eau de toilette Lancôme et que de l'autre côté de la table émanait l'effluve du fameux *Chanel n° 5*, cet arôme précieux pouvait facilement susciter l'envie ou l'inconfort de la joueuse. Ce qui est, bien évidemment, contraire à la politique de la maison. La sobriété étudiée du personnel féminin doit laisser toute la place à l'ego et à la prétention de celles qui désirent se faire remarquer. Car pour bien des membres de la gent féminine, une visite au casino doit se conjuguer au mode prestige.

La ligne de conduite consistait donc à maintenir un profil bas tout en demeurant impeccable. Ce qui signifie qu'aucune mèche de cheveux ne devait tomber nonchalamment dans le visage, et que le maquillage devait demeurer discret. Ainsi, notre mise humble visait à conforter le joueur dans son sentiment de supériorité.

Dans la logique du casino, le client est roi et maître. Nous nous devions de satisfaire ses moindres besoins et d'aller au-devant de ses attentes. Le casino, lui, ne laissait rien au hasard. Sa logique était très simple. Pour bien «fidéliser» le client, il fallait savoir bien le décoder afin de lui offrir une sensation de pouvoir. Or, un casino n'étant pas une entreprise de services, et sa clientèle n'étant certes pas comparable à celle d'un restaurant ou d'une boutique, tout ce qu'on y apprit avait pour objectif de maintenir et de fidéliser une clientèle qui aurait davantage eu besoin d'affronter la réalité plutôt que d'être extraordinairement chouchoutée.

Après ces différentes séances de perfectionnement s'installa une certaine compétition pour savoir quel croupier offrirait le meilleur service. Cette réaction des employés était prévue ; elle était suscitée et attendue. J'y vois une preuve venant appuyer l'hypothèse que tous les employés des casinos sont attirés par les enjeux compétitifs qui créent inévitablement des gagnants. Après la formation, de retour à nos fonctions respectives, les dirigeants eurent l'idée d'un concours. Chaque fois qu'un supérieur remarquerait que nous donnions un petit «plus» à un client, nous recevrions un soleil. Ceux qui obtiendraient le plus de soleils gagneraient des prix. Certains, comme moi, trouvaient cela ridicule et infantilisant, mais la plupart participaient avec enthousiasme. Ce concours nous donnait peut-être une chance de gagner un prix, mais nous soumettait encore davantage à des observations subjectives de la part de nos supérieurs. Finalement, nous nous acharnions à fidéliser une clientèle qui deviendrait probablement malade dans le but de gagner un ridicule concours de courbettes. Les dorloter pour mieux les déposséder afin de s'élever dans la hiérarchie de la société d'État.

Bien pris qui croyait prendre

Le penchant pour le jeu, l'appât du gain et le besoin exagéré de sensations fortes sont autant de conséquences occasionnées par le contact quotidien avec les jeux de hasard. Évidemment, le croupier n'échappe que très rarement à cette règle. Il a beau devenir plus habile, plus fin intellectuellement grâce aux formations et aux années de pratique, cela ne le place assurément pas à l'abri du démon pernicieux : jouer avec le hasard et l'argent. C'est ainsi que plusieurs d'entre nous, peut-être tous, qui sait?, ont fini par développer une manie, une faiblesse, voire une pathologie. Chez ceux qui pratiquent ce métier depuis des années, la grande majorité est incapable de s'arrêter de jouer, quelles que soient les circonstances. Plusieurs croupiers se découvrent une passion pour les stratégies de jeu et les tactiques de mises. Il y en a même qui s'exercent à compter les cartes. Ce que je fis d'ailleurs avec engouement pendant très longtemps. Compter les cartes est la seule et unique façon de prévoir le déroulement du jeu et ainsi d'avoir une certaine maîtrise. J'ai espéré devenir suffisamment experte pour un jour gagner aux tables. Heureusement, j'ai fini par perdre cet intérêt. Ce comportement assez intrigant était extrêmement répandu. Bien que, dans le cadre de leurs fonctions, ils manipulent cartes et jetons pendant des heures, bon nombre de croupiers consacrent leurs temps de pause à jouer! Et si personne n'est disponible pour partager leur passe-temps, ils s'occupent à des jeux de patience. Disposé sur les tables des salles de repos, il y avait tout le nécessaire pour occuper l'esprit et les mains du personnel en mode dealer. Des jeux de cartes usés, une planche de crible, une valise de backgammon, alouette! Mes collègues sentirent assez vite que je déplorais ce genre de comportement et ils cessèrent de m'inviter à me joindre à eux quand ils jouaient.

Mes collègues pouvaient d'ailleurs consacrer des veillées entières à jouer au black-jack ou à la roulette, parce que certains d'entre eux avaient acheté une table de jeu pour la maison. Ils se réunissaient alors pour jouer à «faire semblant», comme dans la vraie vie… Ou encore, ils organisaient des *pools* de hockey qui duraient toute la basse saison d'achalandage. Comme parier de l'argent est illégal, les collègues se créaient leurs propres prix.

Matin et soir, ils occupaient leur temps libre à des jeux de société, de stratégie, de hasard. Leurs besoins jamais assouvis, les employés de la maison, surtout des croupiers ou des cadres de la direction des tables de jeu, organisaient des voyages vers l'Ontario ou des réserves amérindiennes. Ils y partaient expressément pour jouer dans de vrais casinos, puisqu'il nous est interdit de fréquenter les établissements québécois. Pour ma part, je trouvais l'idée totalement stupide. Étais-je la seule à voir clair? C'était pur non-sens qu'un croupier parte se «changer les idées» dans un endroit identique à son milieu de travail. Sauf si on analyse la situation selon le point de vue d'un individu en train de développer une dépendance. Un croupier peut-il réellement être «en manque»? Oui, j'affirme que beaucoup l'étaient, du temps où je faisais partie du personnel du Casino de Charlevoix. Ou commençaient à l'être. C'était, disons, un début de dépendance que l'on ne s'avoue pas encore. Mais peu importe, le fait à noter, c'est que beaucoup de mes camarades étaient littéralement obnubilés par les jeux de hasard, au point de ne trouver ni plaisir ni exutoire dans quelque autre activité.

Pour le joueur compulsif, le casino est le *pusher*, le fournisseur ultime de sa drogue. C'est le gros trafiquant qui fournit l'investissement, la logistique, la main-d'œuvre, les contacts et la came. Suivant le principe de la hiérarchie, le croupier pourrait être comparé au petit revendeur du coin de la rue. D'ailleurs, dans le jargon du métier, le verbe «dealer» est le terme utilisé pour parler du travail d'un croupier derrière sa table. L'analogie est parfaite. Pareil au revendeur sur le trottoir, le croupier est là pour attirer la clientèle, la charmer, l'accrocher, l'assoiffer, l'assouvir, tout ça pour le compte du *pusher* suprême. La grosse part va au gros fournisseur, nous, nous recevons notre part sous forme de salaire. Aujourd'hui, quand je pense au sens du verbe «dealer», je me dis que nous étions simplement des *dealers* fournissant leur dose à des *junkies* en état de manque.

Le *dealer* n'a rien à faire du *junkie* affamé parce qu'il n'a pas mangé depuis des jours ou de l'épave sans vie qui a abandonné sa famille. L'important, c'est que le client ait l'argent pour payer sa dose et qu'il revienne. De même, le croupier d'expérience doit faire abstraction de la situation financière de son client. Si celui-ci se tire une balle dans la tête parce que le casino lui a pris le dernier de ses sous, c'est son problème. Le croupier le fournira jusqu'à l'*overdose* si le bonhomme «majeur et vacciné» le souhaite. C'est ce que notre *pusher* nous a appris, c'est ce que notre *pusher* attend de nous.

Un bon croupier, c'est un bon *dealer*. Et parce que certains étaient de bons *dealers*, ils sont devenus *junkies*. Pour plusieurs d'entre nous, l'acte même de dealer, d'animer une table de jeu, se résumait à aller puiser sa dose à la source.

Je doute fort que le croupier moyen aujourd'hui obsédé par le jeu sous toutes ses formes l'ait été à ce point avant son embauche. Cela sous-entendrait que le casino prendrait consciemment le risque d'engager quelqu'un prédisposé aux problèmes d'argent ou à des troubles compulsifs. Ce qui, j'en suis sûre, ne correspond en rien au profil recherché pour ce genre d'emploi. Par contre, je sais qu'en général les jeux de cartes et de société plaisaient depuis toujours à bon nombre de mes collègues. J'imagine que le penchant et l'obsession pour les jeux d'argent se développent au fil du temps, les deux pieds dans le *feeling*. Beaucoup de mes collègues ont développé une dépendance aux appareils de loteries malgré l'évidence de leur dangerosité qui s'étale jour après jour sous leurs yeux.

En gravissant quelques degrés de plus dans cette échelle, on se rend compte que le problème du jeu compulsif provoque les mêmes ravages chez les croupiers que chez les clients. En effet, il n'était pas rare de croiser dans les bars des employés assis devant une machine de vidéopoker. Pas rare non plus de les voir y engloutir leurs payes. Certains d'entre eux ont même dû suivre une thérapie dans des établissements traitant ce genre de dépendance. Des employés et souvent aussi des membres de leur famille. Et pourtant, malgré la conscience aiguë de ce qu'implique cette dépendance, la plupart d'entre eux revenaient travailler. Ce qui les remettait dans l'insupportable position d'être, jour après jour, en présence de la tentation. Cela dit, je n'ai pourtant jamais vu de croupiers ou de préposés perdre leur emploi ou du moins être mutés parce que l'employeur avait démasqué ce genre d'excès. Devient-on meilleur croupier en devenant *gambler*?

Le jeu pathologique n'est qu'un exemple des problèmes qu'un croupier peut développer au fil des années. Mais c'est celui qui nous pose le plus de difficultés. On aurait fortement tendance à croire qu'il n'y a pas mieux placé qu'un croupier ou qu'un préposé aux machines à sous pour reconnaître les affres et les dangers d'une telle maladie. Selon cette logique, les observations directes devraient constituer un important facteur de protection. Mais si l'employé est le moindrement vulnérable, c'est exactement l'effet inverse qui se produit. En 1999, l'*American Journal of Industrial Medecine* a publié une recherche sur les risques pour la santé de travailler dans un casino. En se basant sur les données recueillies auprès de 3 841 employés à temps plein, on y lit que le danger de développer la compulsion du jeu est beaucoup plus élevé parmi le personnel des maisons de jeu que dans la population adulte en général. Proximité, promiscuité.

Ma rage

Quant à moi, j'allais chercher « ma dose » derrière la table. J'embarquais à fond dans le rythme, et le plaisir coupable excitait mon corps tout entier jusqu'à en faire battre mes tempes. Je me passionnais pour mon rôle, permettant ainsi, ai-je cru, à mes valeurs profondes de se durcir par abnégation. Sauf qu'une fois mon quart de travail terminé, le *trip* s'évanouissait de lui-même, et je fuyais ce genre de divertissement comme la peste.

Évidemment, même si je n'éprouvais pas comme les autres ce sentiment de manque, au bout d'un certain temps, mon inconscient acceptait de plus en plus difficilement mes comportements paradoxaux. Je me suis mise à somatiser. À force de serrer les dents pour contenir ma rage et de me mordre la langue pour taire mon désarroi, un matin, au réveil, je me suis rendu compte que je ne pouvais plus ouvrir la bouche. Je dus me rendre à l'urgence. Ce fut ma première rencontre avec le médecin qui allait devenir un jour prochain mon sauveur et mon soutien. Un homme très sympathique m'accueillit de façon amicale. Nous

nous étions déjà croisés au casino. Il me posa quelques questions sur ma santé, comment j'allais, comment je trouvais mon emploi et la région de Charlevoix. Je lui répondis : «Tout va très bien. Je performe. Malgré les tâches exigeantes émotionnellement, je m'en sors plutôt bien.» Il me tâta la mâchoire et me confirma en riant que j'avais une inflammation du nerf maxillaire ou quelque chose du genre. «Et cela est dû à quoi?» demandais-je. Il me regarda droit dans les yeux et me dit : «Éléonore, il faut que tu relaxes, tu te blesses au lieu de t'écouter. Ton corps t'envoie un message, si tu ne l'écoutes pas, il te donnera de plus en plus de signes que quelque chose ne va pas et, un jour, ce ne sera peut-être pas facile à soigner. Cette fois-ci, je te prescris des anti-inflammatoires. D'ici une semaine, ce sera guéri.» Je compris soudain à quoi il faisait allusion.

De retour à la maison, mon amoureux se moqua bien de moi quand je lui racontai l'anecdote. J'avais serré les dents si fort que je m'étais enflammé les muscles de la mâchoire! Après tout, nous connaissions tous deux mon caractère bouillant et mes réactions vives quand une situation ne me convenait pas. Étant donné que mon emploi m'obligeait à me taire et à ne jamais exprimer mon opinion, ma rage s'était traduite physiquement.

À l'embauche, la tolérance de l'employé est à son degré le plus fort. Au fil des mois, il se moque des comportements, ensuite viennent le jugement et le mépris. Puis, il se trouve en proie à la mélancolie et à la désolation, la gorge constamment nouée par le douloureux tableau de la clientèle, coupé des gens qu'il aime. J'étais rendue là. Tranquillement, le feu devenu pâle lueur s'éteignait en moi, soufflé par la honte. Finalement, je ne sauverais pas le monde. Pourrais-je seulement me sauver, moi?

Je me souviens d'un soir où une cliente, affectée par l'alcool et des pertes colossales, m'humilia sans relâche. Elle m'insultait, me menant presque au bord des larmes, et arrêtait les gens au passage pour leur faire observer ma façon de distribuer les cartes, devenue lamentable à cause de son harcèlement. Le chef, témoin de la scène, me chuchota : «Ne dis rien, s'il te plaît. Je ne veux absolument pas gérer cette crise ce soir. Je peux peut-être te faire changer de table?» Cette fois-là, je préférai garder mes larmes à fleur de paupière et me tenir debout. Obstination orgueilleuse oblige, j'occupai mon poste jusqu'à la fermeture. Sans même pouvoir demander à l'importune d'être polie.

Le croupier n'est pas l'arbitre du comportement des joueurs, et au bout du compte, personne ne l'est vraiment. Je sais qu'à plusieurs reprises, des menaces de mort ont été proférées à l'endroit des croupiers, mais je crois que seulement une fois une plainte fut déposée à la police. De même, il était très rare que des clients potentiellement dangereux soient exclus d'une table. Pourtant, si nous craignions pour notre sécurité à la sortie du casino, nous pouvions demander une escorte. Il faut concéder cela à la direction : elle a toujours eu de la suite dans les idées.

Ma chute

Dans mon cas, même si l'armure était rongée, elle n'avait toujours pas cédé. Mais ce n'était qu'une question de temps. Le jour de mon anniversaire, le 4 juillet de l'an 2000, pendant que des millions d'Américains fêtaient le jour de l'Indépendance, mon amoureux et moi décidâmes de nous marier. Entre deux grosses bières et des promesses d'amour infini, la date fut fixée. Ce serait le 2 septembre. Nous disposions donc de deux mois pour tout organiser. Le Manoir Richelieu, l'employeur de mon chéri, offrait gracieusement à ses employés qui souhaitaient se marier dans leur hôtel : la salle de bal, la décoration, l'équipement. En tout, une centaine de personnes acceptèrent de célébrer cet événement avec nous dans cet endroit romanesque.

Il fut difficile d'obtenir un congé pour le jour de mon mariage, qui devait avoir lieu un samedi. On m'accorda la journée, mais on me demanda de retourner au travail dès le jour suivant. Le casino prenait décidément toute la place dans ma vie. Toute la journée, je fis abstraction de mes déceptions et de ma mélancolie, sauf au moment où la salle de réception s'est désemplie. Mes invités, curieux de visiter le casino, s'étaient tous éclipsés en même temps, me laissant involontairement l'occasion de revenir à la réalité. En ce dimanche de «lendemain de noces», bien évidemment, j'étais épuisée. Lorsque je téléphonai à mon supérieur immédiat pour lui dire qu'il était utopique d'espérer me voir au travail ce soir-là, il se mit à bouder et exigea ferme que je sois à mon poste dès le lundi. La lune de miel fut donc remise à beaucoup plus tard...

L'absentéisme était un sujet délicat. Au Casino de Charlevoix, avoir droit à deux journées de congé consécutives relevait de la légende. La règle était claire : nous devions être disponibles matin et soir, prêts à accepter n'importe quel horaire. D'ailleurs, le bourdonnement dans mes oreilles à cause du bruit strident des machines à sous n'avait jamais le temps de se dissiper. Sur appel tout l'hiver, nous ne pouvions refuser un quart de travail plus de trois fois dans toute notre carrière de croupier à statut particulier sans subir une sanction. Et l'été, c'était encore pire. Durant la haute saison touristique, il manquait presque chaque année de personnel de table. Si nous le désirions, nous pouvions faire des heures supplémentaires, mais je n'en faisais jamais. Quarante heures par semaine dans un casino, c'était déjà, selon moi, beaucoup trop.

Un jour du début de décembre 2000, mon oncle mourut. Architecte, professeur au cégep et propriétaire d'une distillerie d'huiles essentielles, c'était un homme de cœur d'une présence réconfortante. Père de sept enfants possédant une soif de connaissances ininterrompue et un grand sens des valeurs. Un homme qui aurait certes déploré l'emploi que j'occupais. Son départ bouleversa la famille ainsi qu'une foule impressionnante de personnes qui avaient eu la chance de le connaître. Puisque rien ne suffisait à justifier un congé, c'est à Grondines, village de mon enfance, que je désertai, laissant mes collègues croupiers seuls au combat. Je me recueillis auprès des miens trois longues journées, tentant en vain de chasser ma culpabilité qui m'empêchait de vivre le deuil. À mon retour, je fus accueillie par un lourd sermon dans le bureau du chef. «C'est inacceptable que tu sois partie si longtemps en cette période de l'année! On ne t'a jamais autorisée à prendre trois jours consécutifs!» La méchante croupière avait bel et bien désobéi.

Les semaines qui suivirent le décès de mon oncle nous amenèrent aux fêtes de fin d'année. La veille du réveillon, le jour de Noël, mais aussi à la Saint-Sylvestre, les clients ne manquaient pas à ma table et dans les murs du casino. Tous plus malheureux et seuls les uns que les autres. Passant des complaintes aux déceptions, de la colère au mépris, la clientèle des fêtes était triste à en pleurer, et les employés qui les déplumaient, aussi. Juste avant minuit, le casino permettait d'arrêter le jeu des tables pour une petite période. Afin de laisser le temps aux clients de crier le décompte, de serrer la main des chefs et de souhaiter la bonne année. Les joueurs s'empressaient ensuite de revenir à la table et de miser encore et encore, espérant gagner, tout en sachant qu'ils remiseraient sans cesse. N'y a-t-il pas une loi exigeant une trêve, même en temps de guerre, en cette période de l'année? Je constatais encore que ni la célébration d'un mariage, ni la perte d'un être cher, ni les fêtes sacrées n'avaient d'importance pour eux. La soif du profit ne connaît pas de répit.

La mort de mon oncle, le divorce récent de mes parents, le dégoût de mon emploi, tout, autour de moi, reflétait la tristesse et la désolation. Ma vie se brisait en mille morceaux. Si c'était cela devenir adulte, une

contribuable, vivre sa vie, j'avais rêvé pour rien. Je
ne savais ni qui ni quoi blâmer pour ma douleur. Je
cherchais un coupable, et je le trouvai : c'était moi.
J'acceptai le blâme et entrepris une longue croisade
contre moi-même. Je me ferai violence pour tout ce
que je ne pouvais contrôler. C'était moi qui avais investi
mes rêves dans cet emploi, moi qui déplumais des gens
sans distinction, à Noël ou le premier du mois. Moi qui
étais une croupière si compétente ! J'en voulais à celle
que j'étais devenue.

L'année 2001 s'amorçait dans les ténèbres. Je
pleurais de plus en plus. Mon teint devint gris, mes
paupières, lourdes. L'âme désabusée. La peine me
durcissait le cœur, tout doucement. Plus le temps
passait, plus j'étais triste et mélancolique. Je n'aimais
plus rien, n'avais plus le goût de quoi que ce soit. Tous
et toutes remarquèrent la disparition de la fougueuse
que j'étais. Devenue envieuse des gens épanouis et
sereins. Il y avait beaucoup d'employés heureux et
pleins d'entrain. Ils adoraient leur vie, et cela me rendait
jalouse, parce que moi, je n'y arrivais pas. Certains
jours, je retrouvais mon optimisme et mon sourire.
Je tentais de m'intégrer, de quitter mes extrêmes et
de revenir au centre. Mais la déprime ne me quittait
jamais complètement, et ça me frustrait encore plus. Je
voulais être au *top* de ma forme, devenir la meilleure,
être une ressource importante pour mes employeurs.
Mais je n'y arrivais pas : cela me tuait. Et comme mes
efforts ne menaient à rien, je me dévalorisais. Je me
jugeais molle, immature, faible et sans talent. Je mettais
en doute la validité de mes efforts, mais je n'étais pas

pour autant capable de quitter l'établissement. L'échec n'était pas une solution envisageable. Démissionner serait la preuve que j'avais échoué.

J'ai grandi avec l'exemple d'un père dévoué et acharné à garder un emploi qui ne lui plaisait pas. Il se levait chaque matin sans jamais s'apitoyer sur son sort, sans maugréer ni faiblir. La fragilité que je me découvrais allait à l'encontre de tout ce que je m'étais imposé. Une adulte a des responsabilités : mettre du pain sur la table et apprécier d'être en santé. Pas de place aux caprices. Si je devais partir, ce serait la tête haute, victorieuse. Si on m'avait choisie, je devais avoir ce qu'il fallait et je voulais le prouver au monde entier. Coûte que coûte.

CHAPITRE 4

Rien ne vaut plus

Pendant près de un an, je cherchai un moyen de vivre avec les nombreux paradoxes qui s'affrontaient en moi. Je puisais mon courage lorsque Bruno et moi trouvions le temps de nous enthousiasmer. Rêvant de notre future grande maison remplie d'enfants, de nos voyages aux quatre coins du monde et de notre retraite à quarante ans payée par les sacrifices de nos jeunes années. J'y croyais. Bruno aussi, il me semble. Je retournais alors derrière ma table jusqu'aux petites heures du matin, le cœur plein d'amour, mais le corps meurtri de fatigue. Je savais que cet endroit me détruisait à petit feu, pourtant j'y revenais, car je devais gagner ma vie. La simple idée de ne pas être en mesure d'honorer mes engagements et mes dettes me terrorisait démesurément.

C'est à cette période de ma vie que mon univers en sucre d'orge commença résolument à fondre. J'avais toujours cru être plus jolie, plus brillante et plus forte que les autres, mais il me fallait désormais réviser mon jugement. Je me savais en danger, mais j'étais incapable de l'affronter. Je n'étais plus très jolie, certainement pas très forte et finalement plus stupide que je l'avais cru. Quand je me regardais dans le miroir, mon reflet me renvoyait des éclats de dégoût, de honte et même de haine. À cette époque, je commençais à m'insulter. Pareille à mes clients assommés qui jetaient sur moi leur fiel et leur désespérance. Une habitude violente qui vint sournoisement s'installer au cœur de ma routine.

Ma vie familiale et sociale était pratiquement inexistante. Je ne croisais mon amoureux qu'une ou deux fois dans la journée, et trouver du temps pour voir mes proches devenait un véritable fardeau. Adapter mon horaire nocturne à l'activité de jour du reste de la population était rendu trop difficile. Je n'étais jamais au lit avant quatre ou cinq heures du matin lorsque je travaillais le soir, c'est-à-dire pratiquement toujours, et quand j'étais enfin couchée, je me retournais pendant des heures avant de parvenir à m'endormir. Quand je me levais, après quelques heures d'un sommeil peuplé de cauchemars, j'étais déjà épuisée et affaiblie.

J'ai eu droit à tous les symptômes du «syndrome du travail de nuit» : manque d'appétit, incapacité à me concentrer, lassitude, déprime. De plus, comme cet horaire inhabituel dérègle le rythme normal de l'alimentation, j'éprouvais fréquemment des troubles digestifs tels de violentes nausées ou des brûlements d'estomac. Ce qui est plutôt normal quand on a succombé à une envie incontrôlable de manger une pizza pour le petit déjeuner.

Outre ces petits dérèglements physiologiques, les échos se multipliaient dans ma tête : le tintement cacophonique des machines, la chute intarissable de la monnaie retentissant dans la cuvette métallique et la rumeur de la clientèle commencèrent à me suivre partout. J'avais beau m'enfoncer les doigts dans les oreilles, rien n'arrivait à faire taire ce pénible tapage. Le même brouhaha accompagnait chacun de mes pas, de mes gestes et chacune de mes pensées. Je vivais avec le bruit perpétuel de mon lieu de travail et avec la rage de vouloir m'en débarrasser. Quelquefois, en essayant de trouver le sommeil, il m'arrivait de tendre l'oreille pour essayer de capter les conversations de mes clients imaginaires. Parlaient-ils de moi ou essayaient-ils de me dire quelque chose?

Je ne cachais plus aux autres croupiers que je remettais en question mon rôle au sein de l'entreprise. «N'avez-vous pas le désagréable sentiment d'être celui qui dépouille? demandai-je à certains en qui j'avais confiance. Nous faisons sans cesse le geste de ramasser les mises, d'échanger l'argent, nous motivons sans relâche des personnes ayant complètement perdu leurs moyens.» Mais tous me répondaient: «Nous n'avons pas la main dans leurs poches! Je ne suis pas allé les chercher chez eux.» Un des cadres me confia: «Moi, tant que de bonnes bières froides m'attendent à la maison, je peux travailler tous les jours de ma vie.» Pour m'apaiser, une de mes collègues me dit: «Pauvre petite chouette! Tu sais, moi, la première année, je pleurais tous les soirs. Et puis un jour, je me suis dit que je ne faisais que gagner ma vie et que je n'étais pas responsable des décisions des adultes majeurs et vaccinés.» Malheureusement, elle n'était pas du tout crédible. L'incessant clignement nerveux de son œil droit contredisait son ton zen et son détachement. En l'écoutant, je me suis revue sanglotant comme une enfant, la première année, cherchant une raison, une façon, une explication. Allais-je aussi finir par craquer et ne pas m'en rendre compte, moi non plus? Je fixai sa paupière sautillante. Pourquoi avais-je cessé de pleurer? Par quel moyen évacuais-je mon stress maintenant que ma carapace était si épaisse? Je me sentais complètement étrangère à moi-même. J'étais incapable de faire le lien, qui maintenant me semble si évident, entre l'ampleur du trouble qui m'agitait et les symptômes qui, tranquillement, apparaissaient.

Et puis, un jour, je vis une «vieille de la vieille» s'écrouler en larmes devant la multitude de spectateurs d'une soirée achalandée. Honteuse, elle se blottit dans les bras d'une chef de table désemparée. Les joueurs impatients cherchèrent une place libre à une autre table, espérant qu'elle fût animée, celle-là, par un solide croupier. Elle raconta plus tard qu'elle avait perdu la vue pendant un moment, que la panique l'avait envahie. Elle alla consulter le représentant syndical, s'inquiétant de la possibilité de perdre son emploi. Je l'écoutais et l'observais en me demandant si elle s'inquiétait tout autant de perdre sa santé. C'est alors que je compris. Je compris que la seule façon de me distraire de mes angoisses personnelles était de m'intéresser à celles de mes collègues.

Je me mis alors à regarder. À regarder un peu plus loin que le bout de ma table, au-delà du demi-cercle assiégé par les clients. Plus loin que la technique et le rythme du jeu, par-delà l'horizon de mon petit monde fait de guéguerres et des malaises de la routine. Et je découvris la détresse de mes semblables.

Le taux d'absentéisme pour raisons médicales était effectivement devenu important. Mais la cause de ces «vacances» involontaires était toujours taboue. Je connaissais personnellement certains de ces «estropiés» en congés obligés. Les raisons officielles évoquaient presque toujours des problèmes d'ordre physique. Un collègue avait contracté une tendinite à la suite des mouvements répétitifs, un autre souffrait d'un problème de dos... Souvent, en vérité, ces personnes étaient aussi et surtout complètement ravagées par l'épuisement professionnel et traitées aux antidépresseurs qui leur imposaient un repos forcé.

Je m'impliquai alors dans la convalescence d'un ami. Il me raconta combien il était épuisé d'avoir à prouver qu'il avait un problème aux poignets tout en minimisant sa détresse psychologique. Il devait sans cesse combattre les médecins attitrés du casino et leurs contre-expertises. Son élimination du travail ne fut que la conclusion d'une longue guerre qui se termina par une mise à pied sans appel. Après, bien sûr, qu'on l'eut vidé de sa force, de son moral et de son courage. Maintenant, cet homme est sorti de l'engrenage et a abandonné ce métier pour de bon. Mais il a souffert plus que sa part. Aujourd'hui, c'est un homme heureux. Il n'a pas accepté de livrer son histoire publiquement, et je ne l'en blâme absolument pas. Il a suffisamment goûté aux revers du patronat. Un système efficace qui n'entretient que la crème de la crème, rien de moins.

Cette année-là, j'ai donc peu à peu créé des liens plus intimes avec des croupiers d'expérience mais aigris. Certaines femmes me confièrent qu'elles avaient dû être hospitalisées pour des troubles mentaux graves, et toutes les attribuaient à leur tâche. Les conditions de travail avec une clientèle malade sont extrêmement exigeantes. Alliées à la pression, aux relations tendues avec les supérieurs et à la douleur d'être livré à soi-même quand on a besoin d'aide, elles produisent un mélange explosif. Cauchemars, dépression, alcoolisme, toxicomanie, et bien souvent tout ça en même temps, avaient amené ces croupiers sur ce champ de bataille truffé de mines antipersonnel.

Ce que je ne savais pas à ce moment, mais que je sais maintenant, c'est que ces femmes avaient tout à fait raison de lier leurs problèmes à leur travail. Leurs troubles n'étaient pas le fruit de problèmes intimes ni encore le lot d'une personnalité propice à de telles pathologies. Dans une des rares études portant sur la charge de travail du personnel des casinos, réalisée en 1989 pour le compte de la FIET*, on met sous éclairage direct les différentes contraintes et dangers relatifs au fait d'œuvrer dans une maison de jeu, et plus particulièrement au travail de table. À cette époque, j'ignorais que le travail de croupier était une cause de stress insoutenable et de maladie grave. J'avais compris que j'avais un profil particulier et que j'étais apte à

---

* Fédération internationale des employés, techniciens et cadres, un ancien syndicat international.

occuper ces fonctions, mais jamais on ne m'avait avisée de ce qu'on exigeait réellement de moi.

Par exemple, cette étude précise que travailler majoritairement la nuit a des conséquences désastreuses sur la santé physique (troubles du sommeil, de la digestion, maladies nerveuses) et psychologique (interruption de la vie familiale et amicale, isolement) du croupier.

Mais pour bien mesurer à quel point ce métier est dangereux pour la santé, il faut également tenir compte de sa nature particulière qui sollicite, d'une manière anormalement élevée, la capacité du système nerveux à répondre à des signaux dits «critiques». En voici la démonstration puisée à même l'étude mentionnée plus haut.

«Nous avons examiné la charge de travail des croupiers à la boule*. Dans ce but, une mesure appropriée nous a paru être le nombre de "signaux critiques" par heure. Un signal critique est un signal auquel l'opérateur doit réagir. Il existe également des signaux neutres, des signaux non critiques, des signaux complémentaires. Selon le professeur Schmidtke (expert scientifique du travail), la prestation optimale est produite lors d'une fréquence de signaux critiques d'environ 300 par heure. Si cette fréquence est largement dépassée, l'opérateur se trouve manifestement en situation de surmenage. Nous nous sommes bornés à mesurer les signaux critiques. Nous avons observé huit croupiers à des

---

* La boule : jeu de hasard, ancêtre de la roulette, animé par un croupier et dont le nombre de joueurs est illimité.

moments différents ; en cela, de manière analogue aux études précédentes, des activités différentes n'ont été comptées que comme un seul signal ; par exemple l'instruction : "le cinq et les deux numéros voisins" suivie par les réactions consécutives du croupier – il doit répéter l'instruction du joueur, encaisser le paiement du jeton ou faire du change et conserver le jeton et placer cinq jetons sur la table de jeu aux numéros indiqués. Ces observations, conduites sur un croupier à la boule, révèlent une fréquence de signaux critiques de 164 à 226 par quart d'heure ce qui équivaut à une charge horaire d'environ 700 à 900 (!) signaux critiques. De plus, comme les croupiers ne doivent faire aucune erreur (puisqu'il s'agit ici d'un service où ils (elles) manipulent l'argent d'autrui), on constate facilement combien sa tension doit être importante, pour pouvoir maîtriser cette surcharge.

Il n'existe à notre connaissance aucun métier comparable, dans lequel il s'agit de maîtriser des exigences particulières de ce type, auxquelles vient encore s'ajouter la charge de travail de nuit. Si cela est néanmoins possible, c'est que les employés de ce métier ont fait l'objet d'une sélection extrêmement rigoureuse, associée à des motivations particulières, qui leur permettent de répondre sans faire d'erreur aux 800 signaux critiques.

Les faits présentés ici, la charge de travail maximale, spécifique, subie par les croupiers, potentialisée par le travail de nuit, montrent que ces efforts ne peuvent être accomplis qu'au prix d'une usure prématurée des capacités et de la santé, et d'une diminution de leur substance physique.

Ce surmenage est responsable du fait que les employés du jeu ne prennent pas leur retraite lorsqu'ils atteignent 65 ans, mais bien des années avant. Dans le même contexte, on constate également un net accroissement de départs à la retraite par suite d'incapacité professionnelle. »

En ajoutant à cela le fait d'œuvrer pour une clientèle extrêmement exigeante, parfois méchante, voire carrément insupportable, comment s'étonner du nombre anormalement élevé de cas d'épuisement professionnel dans ce métier?

En juin 2005, j'ai rencontré quelqu'un dont l'histoire illustre tout à fait les conclusions de cette étude. Lors d'un voyage à Montréal effectué en autobus, je me retrouvai assise aux côtés d'un gentil jeune homme, plutôt verbomoteur. Au bout de quelques minutes de conversation, il me raconta avoir été croupier dans un casino de Vancouver pendant plus de deux ans. Plus qu'enthousiasmée à l'idée d'obtenir le récit de son expérience, je me mis à l'abreuver de questions sur ses impressions et ses souvenirs. Il me raconta qu'à cette époque, alors qu'il était à peine âgé de vingt-deux ans, son emploi allait devenir l'élément déclencheur d'une très grave maladie qui l'enchaînerait jusqu'à la fin de ses jours à une médication nécessitant la prise quotidienne de quatre pilules. Un soir, c'est debout derrière une table de jeu que sa vie bascula. Terrassé par un puissant malaise, il se retrouva à terre, allongé entre les jambes des joueurs et celles des patrons, en pleine crise d'épilepsie, plié en deux par des convulsions. N'importe quel médecin pourra confirmer que l'épilepsie se déclare rarement à l'âge adulte. La cause de sa maladie fut attribuée à un niveau de stress trop élevé et à certains troubles psychologiques si éprouvants que son cerveau s'était créé un système d'alarme qui ne le quitterait jamais plus.

Bien entendu, il avait quitté le monde des casinos, mais il vivait chaque jour avec l'angoisse d'être surpris par une crise importune ou d'avoir oublié de prendre ses médicaments. Jusqu'à notre surprenante rencontre, il ne s'était pas rendu compte à quel point cet emploi avait miné sa santé. Mais assumer sa maladie était un combat suffisant à lui seul. Pour lui, il n'était plus l'heure de chercher des coupables. Aujourd'hui, il prend soin de demeurer en contact direct avec les vraies valeurs qui le sécurisent. Épileptique, mais guéri de la recherche d'un standard de performance inatteignable que cet emploi lui avait imposé à lui aussi.

Un peu plus tard ce jour-là, assise seule dans le métro, je me perdis dans mes souvenirs. Je revis la petite croupière de moins en moins naïve et insouciante qui voyait les soldats de son régiment tomber au combat. Les dernières années de ma vie au casino, il s'était accumulé devant moi des histoires de plus en plus sordides où la pathologie devenait la source de comportements dangereux. Je pense à un homme en particulier, le meilleur croupier qu'on puisse trouver. Son sens de l'humour était exceptionnel, j'ai rarement rencontré quelqu'un d'aussi drôle. Il maîtrisait ses tables comme personne. Il avait toujours la blague parfaite pour dédramatiser. Les situations les plus tristes et pathétiques devenaient des prétextes aux fous rires sans fin. Travailler avec lui me faisait beaucoup de bien. Il m'a appris à rire de moi et à moins me prendre au sérieux.

L'histoire de mon ami a connu un bien triste épisode. Un jour, il dut partir se soigner d'une maladie qui le détruisait petit à petit. Depuis longtemps, ce croupier de génie gelait son mal de vivre dans les montagnes de *poudre à plaisir*. La coke était sa faiblesse. Ce n'est certes pas le casino qui paya sa thérapie, puisque c'était son problème à lui. Tout comme le fait d'être accro au jeu est la responsabilité du joueur compulsif.

Cette histoire me rappela aussi celle d'un chef de quart (le patron des chefs de tables) qui, quelques années avant mon embauche, s'était fait licencier parce que reconnu coupable de vol. C'est l'Opération Joker qui permit de remonter jusqu'à lui et de procéder à son arrestation. Sans une erreur de son complice, qui sait combien de temps encore son stratagème aurait fonctionné! Puisqu'il avait lui-même formé les agents de sécurité du casino et qu'il connaissait les heures et tous les détails précis de la surveillance par caméra, il s'était permis pendant on ne sait combien de temps de se servir directement dans les plateaux de jetons lors de l'ouverture des tables. Il était responsable de l'intégrité de l'inventaire, et comme il avait été croupier pendant plusieurs années, ses mains étaient toujours aussi habiles. Quelques jours après le vol, son complice revenait au casino, jouait quelques tours de table au black-jack et changeait ensuite ses jetons, blanchissant ainsi le crime. Finalement, on l'accusa seulement d'un vol de moins de 5 000 dollars, car le casino ne sut jamais combien de jetons il avait pu subtiliser au total. Ainsi, il dut rembourser la somme de 2 500 dollars et purger une peine dans la collectivité. Plus tard, on raconta aux croupiers que cet homme avait des dettes de drogue et subventionnait sa dépendance à même la source de son mal. À cette époque, le casino était bien préparé à accueillir la clientèle et à la charmer sans pour autant avoir une sécurité au point. Un peu trop pressé de garnir les coffres, peut-être. Chacun ses priorités.

La dureté du milieu n'épargnait pas non plus les patrons. Un jour, en passant devant le bureau des cadres, je vis par la porte à peine entrouverte mon formateur prostré sur sa chaise. J'entrai sans frapper. Mon mentor était en sanglots, les yeux bouffis et la lèvre tremblante. Il sembla soulagé que ce fût moi. Il n'essuya même pas ses larmes. Il se contenta de regarder par terre, espérant que j'aurais le bon mot. « Est-ce que c'est à cause de ta blonde ? », lui demandai-je sur un ton réconfortant. « Non, non, c'est… la job, c'est pas toujours facile », a-t-il répondu. J'étais estomaquée. Tout n'était pas rose pour lui non plus, alors ? Cet homme toujours si fier et si solidaire de son entreprise se trouvait là, affaibli. Je n'ai jamais su ce qui n'allait pas, mais je me doute bien que ce n'était guère banal pour qu'il pleure ainsi sur les lieux de travail sans pouvoir attendre son retour à la maison. « Ça va aller, repose-toi bien ce soir et si tout va bien en amour, le reste s'arrangera. » Je n'avais rien d'autre à lui dire, j'avais l'habitude des bons mots au bon moment, qu'ils soient vrais ou pas, pour moi ou pour les autres. Je n'ai pas eu besoin de lui promettre ma discrétion. Mais je gardai longtemps au fond de mon cœur l'image du mentor déchu.

Coulé à « pique »

Mon déséquilibre n'était pas bien différent de celui des joueurs compulsifs. Je sais exactement ce qu'ils ont vécu, à divers degrés bien entendu, car la source du mal était la même. J'en étais venue à vouloir toujours gagner, à m'obstiner pour être toujours la meilleure. Une fois debout à ma table, je ne voyais rien d'autre que mon plateau de jetons et ne ressentais rien d'autre que le besoin de le remplir. Au bout du compte, j'étais autour de la même table, à utiliser les mêmes jetons et les mêmes calculs. J'étais devenue une croupière compulsive. Bien que j'aie longtemps détesté les joueurs, les dirigeants et moi-même, aujourd'hui, je sais que nous étions tous dans le même bateau et que la maladie à laquelle je contribuais m'avait contaminée moi aussi. C'est pourquoi je les comprends, mais aussi je crois en leur guérison. Car je savais que je ne pourrais me protéger et refouler indéfiniment mes sentiments sous prétexte que je gagnais ma vie. Comme les joueurs savent qu'ils ne pourront sortir gagnants d'une maison de jeux de hasard.

Ma grande habileté à cibler mon client, à le reconnaître et à l'apprivoiser, mais surtout à savoir tout de lui d'un seul coup d'œil déclencha une psychose supplémentaire. À l'épicerie, dans la rue, j'étais devenue une véritable paranoïaque. Ainsi, chaque visage qui croisait mon regard semblait m'être familier. Avais-je vidé les poches de cette vieille dame qui me fixait ? Ce monsieur avait-il joué son salaire de la semaine des heures durant, soumis à mes méthodes perverses ? La petite caissière, le commis, la jeune blonde au volant de sa voiture bruyante. Tout le monde me regardait. On me reconnaissait. On me jugeait. Tous, les mêmes yeux. Noirs et vides. Méprisants et rancuniers.

Au fil du temps, le marmonnement incessant qui occupait continuellement mon esprit se transforma. Les murmures devinrent des voix. Et celles-ci se mirent à m'obnubiler jusqu'à l'obsession. Je les guettais, les analysais. Qu'étaient ces voix ? L'écho du bruit du casino, l'écho de la folie, de ma conscience ? Que disaient les voix ? Autant je souhaitais les entendre, autant j'étais traumatisée à l'idée de percevoir leur message. Allaient-elles me souhaiter la mort ? Allaient-elles m'ordonner de me faire violence ? Que disaient les voix ? Elles me parlaient juste à moi… Me racontaient-elles la souffrance que j'avais infligée aux centaines de personnes venues à ma table ? Étaient-elles les voix de leurs enfants délaissés ? Était-ce le diable que j'avais alimenté pendant trois années ? Le cri à l'aide des âmes affligées ?

Maintenant, sourire me faisait mal, j'avais toujours envie de pleurer. Les mensonges, le superficiel, faire semblant que tout va bien. Les clients en perdition, malheureux comme moi. Moi qui savais que je contribuais activement à leur perte, à leur propre folie. Nous n'étions plus qu'un dans un tourment de supercheries et de peines.

Et puis un beau jour, j'ai frappé le mur des limites. J'avais perdu. J'étais perdue. C'était le soir, j'étais si loin dans ma peine que je me suis mise à prier la mort. « Prenez-moi, prenez-moi… venez me chercher, venez me chercher… Prenez-moi, prenez-moi… venez me chercher, venez me chercher… »

Mais Bruno entra dans la maison. Il ne devait pas rentrer si tôt. C'était exceptionnel, impossible. « Mais qu'est-ce qui se passe ici ? »

En larmes, je lui demandai de me prendre dans ses bras. Puis, j'ai crié au secours, pour vrai, le visage tordu. Mais il n'a pas voulu entendre ce qu'il entendait. Il n'a pas voulu voir l'ampleur du désastre qui se préparait. Il me prit dans ses bras, me chuchota des mots doux et rassurants. Je pleurai, longtemps. Tout comme les clients malades que je côtoyais, j'avais moi aussi bien caché ma détresse, à tel point que même l'homme de ma vie ne réalisait pas ce qui m'arrivait.

Pourrais-je recommencer à zéro ? Je ne désirais que retourner me blottir au creux de mon lit chaud et humide d'y avoir trop dormi, les draps froissés de m'être retournée un million de fois sur ma misère et ma déception.

Pourtant, le lendemain matin, je me levai et retournai travailler, traumatisée à l'idée de prendre congé ou qu'on apprenne que j'étais malade. Je me présentai au travail les traits tirés, le visage long, les yeux si rouges qu'ils brûlaient. Des larmes de feu enflammaient mes paupières fébriles et mes joues.

Debout derrière ma table de black-jack, je regardais par les grandes fenêtres donnant sur le fleuve les glaces s'entrechoquer, aussi puissantes que les courants des océans. Aussi robustes que la petite fille que je fus il n'y avait pas si longtemps. Empêtrée dans ma mémoire et dans la mélodie terrifiante des voix schizophréniques de mon esprit, j'oscillais. J'étais si seule, si loin. Allais-je tenir toute la journée? Allais-je tenir une seule minute?

Le superviseur de ma table m'avait fourni les armes pour cet emploi quelques années auparavant. Celui que j'avais surpris en larmes un jour de tourments. Celui qui allait, cette fois-ci, reconnaître ma détresse. Me rendre le service que je lui avais rendu. J'avais besoin de sa discrétion. Avant que les portes ne s'ouvrent pour accueillir le troupeau assoiffé, j'éclatai en sanglots. La poitrine prise de convulsions, je tentai de réprimer le hoquet incontrôlable, le déluge d'amertume salée qui emplissait déjà mes yeux paniqués.

«Éléo, ça va pas?» demanda-t-il.

Pas un mot ne sortit de ma bouche, il n'y avait plus de place dans ma gorge haletante.

Il dépêcha vite un autre croupier pour me libérer de ma tâche. Je fixais la mer hivernale qui se déchaînait devant moi comme le remous au centre de mon corps. J'aurais tant voulu plonger sous les glaces de février. Me noyer, noyer la peine, noyer le passé, ce que j'étais, mais surtout ce que j'étais devenue.

Je courus chez moi en essayant d'étouffer les voix dans ma tête. Je retournai dans mon lit encore chaud de ma fureur. Bruno n'était pas là. Il n'y avait que moi et les voix.

Je devais me ressaisir, encore. Ma déraison déformait la réalité. J'étais sans ressources ni aide. Mon manque de maturité m'amena à accepter la fatalité et à faire taire le délire. Je perdais réellement le contrôle, ce qui était pour moi le pire échec de ma vie. C'est là que je déclarai la véritable bataille. Une guerre sans merci contre moi-même. Je me mis à compter dans ma tête. 1-2-3-4-5-6-7-8-9-10. C'était la seule façon de garder le contrôle et de limiter les dégâts. Personne ne devait savoir. Personne ne saurait. 1-2-3-4-5-6-7-8-9-10.

Je comptais. 1-2-3-4-5-6-7-8-9-10. Chaque fois que mon cerveau avait besoin de trouver la paix, je comptais. Autour de moi, tout se comptait. Les pas qui me menaient au casino, les marches des escaliers qui conduisaient à ma table, la séquence des cartes qui glissaient entre mes doigts, les minutes et les heures, le nombre de clients, le nombre de pauses. Le silence. Rien ne durait ni ne valait plus que le compte de dix. La paix avait son compte.

«Un black-jack.» «Black-jack de 25 paye 37,50 $.» «Chef! Change cent, cent pour cent.» «7, 12, 17» «8, 14, de trop!» «Doublé pour une seule carte.» «Battage complété.» «1-2-3-4-5-6-7-8-9-10, entonnais-je sans relâche.» Je me berçais dans ma tête, au fond de ma douleur. Dix fois, puis encore dix fois, puis encore...

Combien de temps pourrais-je me complaire à compter ainsi? Je commençai à avoir peur que Bruno me surprenne. Allais-je finir par compter à haute voix?

Puis, entre deux crescendo de tics nerveux, j'entendais mon père me dire : «Ne t'apitoie pas sur ton sort. Tu es la plus forte, ne l'oublie jamais. Je suis fier de toi, ma fille.» J'imaginais la déception dans les yeux de mon amoureux si je laissais tout tomber. N'était-il pas venu s'isoler ici avec moi grâce à mes promesses de prospérité? N'avait-il pas abandonné ses rêves, sacrifié sa vie de jeune adulte au nom de notre idyllique bonheur? 1-2-3-4-5-6-7-8-9-10. Ne décevoir personne surtout pas les hommes de ma vie, 1-2-3-4-5-6-7-8-9-10.

Les jours, les semaines passèrent au rythme de un million de fois 1-2-3-4-5-6-7-8-9-10. Puis un matin, Bruno revint de sa nuit de travail, et je lui avouai tout. Avec le peu de dignité que la détresse m'avait laissée, avec la miette d'espoir qu'il me restait et que j'avais sauvegardée, je lui dis tout : les voix, mon obsession des chiffres, les visages aux regards culpabilisants, la douleur, la peur...

Il me prit dans ses bras forts et rassurants.

«C'est fini, Éli. Tu n'y retournes plus. C'est fini. C'est fini.»

L'abandon. J'abandonnais enfin mon acharnement.

«C'est fini, c'est fini», me répétais-je sans compter jusqu'à 10.

À l'aide !

J'allai chercher de l'aide, c'était la seule chose à faire, la démarche que j'aurais dû entreprendre bien avant que ma force me quitte. Je retrouvai mon médecin frisé et sympathique. Il appela mon nom qu'il avait reconnu. Qu'allais-je lui dire, par où commencer? Saurait-il comprendre?

Je lui racontai comme je pus, je pleurais tellement qu'il ne devait entendre que des bribes de ma douleur, mais c'était suffisant pour qu'il s'alarme de mon état.

« C'est fini, me dit-il d'un ton accusateur et exaspéré. Tu ne retournes pas travailler au casino. Je te mets en arrêt de travail immédiatement, au moins pour deux semaines. Si tu savais le nombre d'employés du casino qui se présentent ici dans cet état. Tu sais, il y en a une qui a dû se faire interner. Je ne sais pas ce qu'ils vous font, mais j'en vois sans cesse arriver ici complètement détruits. »

Puis, il sortit du bureau en trombe, me demandant de patienter, me donnant de précieuses secondes pour me ressaisir. Un sentiment oublié commença à refaire surface. La confiance, je crois. Ou peut-être l'apaisement. Lorsqu'il revint, au bout d'une minute ou deux, il m'annonça qu'il m'avait obtenu un rendez-vous avec un psychiatre de l'hôpital de Baie-Saint-Paul. Psychiatre ? L'ombre du calme qui m'avait gagné s'effaça aussitôt.

« Dis-lui tout, profites-en. Il est très rare d'obtenir un rendez-vous aussi rapide. Profites-en », m'ordonna mon bon médecin.

J'avais le vertige. Je m'imaginais déjà attachée à un lit sans draps, dans une pièce aseptisée. Léthargique et blanche comme la neige. Vide comme le désert de ma vie que j'avais gaspillée au nom de l'avancement, au nom de l'argent, au nom de l'ambition. Était-il trop tard, étais-je devenue folle ?

Après avoir suffoqué durant deux heures dans le bureau d'un psychiatre désintéressé, je repartis, prescription à la main, sous l'emprise paniquante de l'angoisse. Quelque temps plus tard, je retournai dans la maison du diable remettre ma lettre de démission.

Bruno m'accompagna jusqu'à l'entrée, car j'étais complètement traumatisée juste à l'idée de revoir la bâtisse. Toutefois, il dut m'attendre à l'extérieur, repoussé à la barrière de sécurité qui filtre les employés. On me souhaita bonne chance dans mes nouvelles entreprises. J'abandonnais.

Sous médication pendant environ trois mois, je devins un véritable zombie. Une prescription sans diagnostic, le traitement était douteux. Je ne faisais plus de cauchemars, car je ne rêvais plus du tout. Je dormais toute la journée, toute la nuit. Je déambulais entre lucidité et égarement. Je n'ai qu'un très vague souvenir de cette période. Je ne me rappelle que de la douleur de l'angoisse qui m'habita sans répit. Juste là, dans le plexus solaire.

Et puis un jour, j'ai eu besoin de me sentir mieux. Il restait au fond de moi un peu de la rebelle. Un peu de l'ambitieuse. Un peu de la fougueuse. Le déclic? Une phrase magique qui me donna le courage de me remettre sur pied.

« Si j'étais une femme, je voudrais être comme toi », m'a dit Bruno.

J'étais pourtant dans un état lamentable.

J'ai arrêté les médicaments. Je ne guérirais pas avec des béquilles. Je ne ferais qu'endormir le mal, et il se réveillerait un jour ou une nuit, plus reposé et plus vif qu'avant. Ma désintoxication fut brutale. J'étais envahie de spasmes, de douleurs, de crises de panique et de paranoïa. J'eus une infection urinaire, cadeau de la désintox qui dura tout l'été. Un sevrage herculéen.

Mais plus la drogue se dissipait dans mon organisme, plus l'étincelle dans mon âme se ravivait.

Je recommençai à croire en moi, en la vie. Entourée d'amour, de calme et bien reposée grâce à une médication m'ayant accordé beaucoup de sommeil, j'allais de mieux en mieux. Je n'étais pas devenue folle, comme je l'avais cru. Ce n'était que le sentiment de l'aliénation. Au lieu de devenir insensible à autrui, j'étais devenue insensible à moi-même. J'étais devenue étrangère à mes valeurs fondamentales. Alors, quand elles ont commencé à refaire surface avec le retour de mon équilibre, la même petite fille de dix-huit ans pleine d'illusions souhaita de nouveau devenir forte et exceptionnellement compétente.

Je voulais me pardonner d'être devenue quelqu'un que je ne désirais pas devenir. Je me donnerais encore quelque temps pour me faire une santé, mais dès que je le pourrais, je retournerais au casino changer le monde. C'est du moins ce que je me répétais. Peut-être me suis-je crue.

Je n'eus pas à me mettre à genoux pour retrouver un emploi au casino. J'avais un excellent dossier. Mes évaluations de rendement étaient impeccables. Ma réputation encore immaculée. On avait toujours confiance en moi, on accepta même de me redonner le même échelon salarial. Le compromis, c'était de faire un autre été à titre de croupière pour ensuite accéder au poste d'hôtesse, au département du service à la clientèle. J'avais l'impression de ne pas repartir de zéro, puisqu'on m'engageait dans le but de m'offrir ce qui était pour moi une promotion. J'avais convoité le poste au service à la clientèle longtemps avant ma chute. Je croyais sincèrement que c'était la meilleure position pour aider les clients et changer la façon d'interagir avec les joueurs pathologiques. J'aurais ainsi le meilleur des deux mondes. Mon gagne-pain et la conscience tranquille.

Je m'imaginais libre, parcourant le plancher du casino en quête d'âmes à réconforter, d'espoir à donner, en quête de moments gratifiants. Je me voyais trouver les bons mots pour sauver les grand-mamans.

Je passai tout l'été renfrognée, attendant impatiemment la vacance du poste au service à la clientèle, priant l'arrivée de l'automne pour enfin pouvoir exercer ma mission. Je tenais bon derrière ma table, les mains plongées dans l'argent usé, retenant une perpétuelle envie d'uriner due à mon sevrage brutal. Machinalement, je distribuais les cartes, minimisant mon entrain et mon enlisement. Il ne fallait surtout pas que j'use mes forces et ma santé encore fragile.

J'étais convaincue qu'on allait vite m'offrir ce poste tant convoité, à la hauteur de mes talents et de mes capacités. Je croyais fermement que ces quelques semaines étaient mon dernier tour de table avant d'être libre et utile. Mais plus les jours passaient, plus je sentais que l'on me méprisait. Le nombre de mes « amis » avait diminué de moitié, et le silence qui s'imposait lorsque j'entrais dans la salle de repos, ajouté aux regards fuyants et accusateurs, me fit comprendre qu'on m'en voulait beaucoup d'être parvenue à réintégrer ma place sans subir de sanctions. J'étais la première de toute l'histoire du Casino de Charlevoix à m'être fait accorder «une deuxième chance». Désormais, à la cafétéria, je mangeais seule à ma table.

Lorsqu'ils engagèrent de nouveaux venus afin de pourvoir les postes au service à la clientèle, je pris cela comme une trahison. Je devins amère, frustrée, rebelle et dangereuse pour le casino. Comment avais-je pu être si bonasse? Ils n'avaient jamais eu l'intention de me donner le poste. Ils ne tiendraient jamais leur promesse. J'étais une croupière usée, encore bonne pour un été et quelques mois de plus, peut-être. Mais il devenait clair qu'ils allaient me laisser couler. Encore.

Je ne me rendrais plus jamais malade, je décidai de faire ma loi. Plus un joueur ne me manquerait de respect, plus un seul chef de table ne me négligerait. Chaque semaine, pendant le mois suivant, je me retrouvai dans le bureau des cadres pour me faire réprimander pour mes écarts de conduite, mes attitudes.

Et puis un jour, juste avant que la neige recouvre le sol et que le fleuve gèle, on me remit une lettre qui disait : «Vous ne répondez plus aux attentes du casino.» J'étais mise à pied, jetée dehors. On me fit escorter jusqu'à la sortie, surveillée par la sécurité comme une criminelle.

CHAPITRE 5

La croisade

Le destin dans le détour

Je passai l'année suivante dans la forêt, sur la terre à bois que nous avions achetée quelques mois plus tôt. Tous les jours de cet hiver-là, je m'emmitouflais sous une tonne de vêtements pour me réchauffer le cœur et j'allais m'accroupir sous l'immensité des trembles et des érables presque centenaires qui trônaient sur ma terre. Sous leurs branches immenses, je laissais mes cils se couvrir des doux flocons de ce pays aux saisons absolues. Les pieds et les fesses calés dans la neige immaculée du mont Grand Fonds, je me laissais bercer par le rythme du craquement des bûches que Bruno fendait d'un grand coup, par les jeux des quelques mésanges témoins de mon recueillement et par le battement de mon cœur qui s'adaptait doucement à mon nouveau style de vie. Je poussais de longs soupirs qui me permettaient d'expirer mes péchés et mes regrets. J'avais le sentiment troublant que jusqu'à ce jour, j'avais oublié de remercier la vie de m'avoir protégée. J'avais oublié que le monde n'est pas uniquement matériel ni uniquement malheur.

C'est au cœur de cette immense forêt que j'appris la valeur de la vie, la valeur de l'amour et, enfin, la valeur de ce que j'avais acquis dans cette aventure. Jour après jour, je retrouvai doucement la pureté de la vie, la beauté du silence et la force de la nature. Mon immense forêt me donna le temps et la santé me permettant de me remettre à croire que tout est possible et aussi me rappeler que, douloureuse ou non, la vie est belle. Mais surtout pour devenir celle que je serais désormais. J'avais la conviction qu'un jour, tout ce chemin me mènerait quelque part.

Québec

Bruno et moi avions fait le pacte de retourner à Québec, ville de notre première rencontre, lorsque nous aurions la certitude d'être allés au bout du rêve auquel nous avions cru. Après avoir défriché parfois à mains nues, débité des centaines de billots de bois franc et construit un chemin forestier à coup de volonté et de détermination, nous avions fini par avoir besoin de repos. Nous avons donc quitté Charlevoix, mais gardé pour toujours ce pied-à-terre de silence et de beauté. Nous qui avions choisi Charlevoix comme port de salut en cas de temps durs, comme abri contre les excès et les tourbillons de la ville, nous avions maintenant compris que c'était bien au fond de nous qu'il fallait trouver la paix. « C'est ici que commence notre nouvelle vie », me suis-je dit en croisant le panneau de bienvenue de la vieille capitale.

C'est quelques mois plus tard, à l'automne 2003, après nous être confortablement installés dans notre nouvelle cité, que ma lutte allait se dessiner. J'avais trouvé un métier valorisant dans le réseau de l'Université du Québec. Le bonheur enveloppant de ma nouvelle vie me permit d'entamer une carrière de rédactrice, carrière rêvée depuis que je sais écrire. Après un peu d'acharnement, le magazine *Summum* me choisit comme pigiste et ce fut un de mes plus grands moments. Peu après la publication de mon tout premier article, je me retrouvai au restaurant avec l'homme de ma vie, attablée devant un copieux déjeuner. Je feuilletais nonchalamment le *Journal de Québec* quand mes yeux se posèrent sur une nouvelle accablante : un croupier du casino de Charlevoix s'était enlevé la vie. Immolé par le feu.

Je me sentis submergée par une tempête d'émotions. De la rage, puis de la honte, puis encore de la rage. À cet instant, tout se plaça dans ma tête. Tout ce que je savais, le reste du monde devait l'apprendre. J'étais revenue de loin, mais guérie. Je me sentais même plus forte. Plus forte encore que je ne l'aurais cru, car c'est en tenant ce journal entre mes mains que je clamai à Bruno que, cette fois, j'allais parler. « Certainement, ma chérie ! » répondit-il, confiant que mon intervention ne serait pas vaine. Je retrouvais en moi la rebelle naïve qui voulait refaire le monde.

J'ai alors appelé à la salle des nouvelles de TQS pour offrir un témoignage sur le métier de croupier. On me reçut dans la même semaine. Je connus alors la première frustration de ma mission. Pour une heure d'entrevue, on diffusa deux minutes de montage bien serré et seulement sur les ondes de la station de Québec.

À la suite de la diffusion confidentielle de ma première intervention, je ressentis une amère déception. Le peu de réactions me prouva que cette entrevue n'avait absolument rien donné. J'aurais voulu que mon témoignage ait l'effet d'une bombe. Je ne trouverais pas la paix tant que je saurais qu'un croupier peut s'enlever la vie à cause de son emploi. Je savais que la mort était venue rôder près de moi. Et si personne ne m'entendait, tout cela n'aurait servi à rien. Tant de douleur devait servir à quelque chose ! Je n'avais pas été témoin d'autant d'horreurs pour en garder le secret et faire semblant que rien n'était arrivé. Je compris qu'il me fallait pousser plus loin, mais surtout que je devais rectifier le tir. J'avais blâmé les patrons, les conditions de travail, le traitement réservé aux employés affaiblis. Je jouais les victimes, et c'était là mon erreur. Je devais plutôt creuser jusqu'aux origines de la création de Loto-Québec, aux origines de la maladie et des méthodes pour soutirer les profits. Il était là, le fléau, en fait. Au magazine *Summum*, je fis part de ma déception à mon patron, qui me promit de reprendre mon témoignage et de lui offrir une meilleure tribune.

Mon rédacteur en chef a heureusement tenu sa promesse, un an plus tard. Ce long délai m'avait permis de perfectionner mes qualités de rédactrice et de forger mon armure dans des matériaux plus résistants, ceux de la détermination et de l'assurance, entre autres. Mais surtout, d'affûter mes armes pour attaquer Goliath sur tous les fronts.

Une fois les deux pieds dans la révolte, je compris qu'un simple article et quelques entrevues avec les médias ne suffiraient pas à me soulager ou à changer la moindre chose. J'aurais dû me doter de munitions avant de me présenter sur le champ de bataille, ai-je pensé. Mais aujourd'hui, avec le recul, je comprends que les solutions apportées par une ex-croupière n'auraient pas eu l'impact mérité.

À l'attaque !

Lors de la publication de mon dossier dans le magazine *Summum*, où je dénonçais la complicité et l'influence des croupiers sur les profits des casinos, je savais que ce tremplin était probablement ma dernière chance d'obtenir l'attention. Grâce à une bonne préparation et peut-être aussi aux talents de persuasion acquis quelques années plus tôt lors de ma formation au casino, j'obtins, à mon avis, la meilleure tribune possible. Je réussis à me faire inviter à l'émission populaire *Tout le monde en parle*, à la chaîne de télé nationale. C'était la première fois qu'un membre du personnel d'un casino québécois brisait l'*omertà*, levait le voile sur les méthodes employées pour plumer les clients et dénonçait ainsi une situation alarmante. Les médias accordèrent enfin une attention nouvelle à une réalité qui était pourtant condamnée par plusieurs depuis de nombreuses années. Le *Journal de Québec* consacra la une de son édition du mardi 22 mars 2005 au questionnement que je soulevais. Par la suite, je fis une série d'entrevues dans d'importantes stations de radio.

Tout se passa très vite. Loto-Québec, les syndicats de la fonction publique et les croupiers hurlèrent au mensonge. Le 23 mars 2005, soit deux jours après la diffusion de l'émission, leurs représentants envoyèrent un communiqué de presse aux médias : « Ça n'a aucun sens de croire que les croupiers sont endoctrinés, manipulés et formés pour *sizer* les joueurs afin de connaître leurs défauts ainsi que leurs faiblesses », affirmait Francis Cantin, président du Syndicat des croupiers du casino du Lac-Leamy.

Quant à Roger Leclerc, représentant des croupiers du casino de Montréal, il avançait : « Sans vouloir accorder aux affirmations de Mme Mainguy plus d'importance qu'elles ne le méritent, les représentants des croupiers tiennent tout de même à corriger le tir. Comme dit l'adage, tout ce qui est excessif devient insignifiant. »

Mes détracteurs ont également avancé que les casinos québécois sont totalement différents des casinos des autres pays, puisque ceux-ci appartiennent à des entreprises privées. Que les croupiers québécois, puisqu'ils ne sont pas rémunérés avec des pourboires, n'ont pas avantage à manipuler le jeu et les clients. Cela est complètement faux. Au cours de mes recherches, j'ai pu découvrir qu'en France, où l'on ne compte pas moins de 188 casinos, la gestion est pratiquement identique à celle des maisons de jeu québécoises et partout les croupiers reçoivent la même directive soit : faire rentrer l'argent.

Rapidement, le téléphone ne dérougit plus. Guy A. Lepage me transférait la centaine de courriels de croupiers en furie. «Pour que tu saches à quoi t'en tenir», m'a-t-il écrit. Dans ma boîte de réception de courrier électronique s'enchaînaient les noms d'anciens collègues blessés, des ragots à mon sujet, de lourds jugements, mais heureusement aussi des félicitations d'anciens croupiers. Je lisais tout de même chaque message en tentant d'accepter la critique. Ici et là, quelquefois, une parole douce et des encouragements venaient ranimer mon enthousiasme. Au milieu de ce tourbillon inhabituel d'accusations et de demandes de justifications, je commençai à douter de moi. Avais-je réellement les épaules assez solides pour porter une telle responsabilité? Il me sembla à ce moment-là être bien seule à connaître la vérité, ou du moins à l'interpréter ainsi. Puis, enfin, entre une dizaine d'insultes et un compliment, il y eut un message qui allait réellement influencer mon destin. Un message d'Alain Dubois.

Il avait regardé l'émission avec enthousiasme. Il félicitait mon courage et ma franchise, mais surtout il me proposait de m'engager dans sa coalition : Emjeu*. J'eus à peine le temps de savourer ce réconfort et cet appui soudain que déjà un autre message arrivait. C'était Jean Métayer qui me louangeait tout autant et qui m'offrait lui aussi une place dans cette même coalition. Sans même s'être concertés. Je rougissais devant une telle marque de confiance.

Au fil de nombreux courriels que nous nous sommes échangés par la suite, j'appris le but et la

---

* Emjeu : Éthique et modération du jeu au Québec, www.emjeu. com.

mission de leur organisation. Tous deux m'expliquèrent le rôle d'Emjeu et la pertinence d'en faire partie. «Nous sommes des intervenants publics sincèrement préoccupés par le manque d'éthique tant de Loto-Québec que du gouvernement québécois cautionnant aveuglément son mode de gestion. Nous croyons que le gouvernement, géré comme une entreprise privée avec des sollicitations harcelantes, voire sauvages, a délaissé son rôle de "bon père de famille" afin d'atteindre des objectifs commerciaux plutôt que de santé publique. Nous nous sommes officiellement regroupés tout simplement parce que nous partageons une profonde inquiétude devant l'ampleur du désastre parrainé par l'État. La dépendance aux "jeux" de hasard et d'argent est exponentielle, tout comme les coûts sociaux qu'ils engendrent. Ainsi, nous clamons qu'il ne s'agit pas de jeux ayant pour seul but de divertir, mais bien d'un système pernicieux construit intelligemment afin de rapporter un maximum d'argent à l'État. C'est une taxe à la pauvreté qui fait abstraction des graves problèmes de santé publique qu'elle provoque. Nous souhaitons que le gouvernement retrouve sa responsabilité morale dans la gestion des "jeux" de hasard et d'argent.

«Nous ne sommes en rien prohibitionnistes, puisque nous sommes réalistes. Nous agissons bénévolement et surtout nous ne sommes liés à aucun groupe d'intérêt. Nous sommes transparents.»

La transparence, c'était justement la carte que j'avais jouée. Quant à l'idée de faire du profit avec cette croisade, cela ne m'a jamais effleuré l'esprit. Par contre, obtenir notoriété et crédibilité sur le sujet : oui, tout à fait. J'ai toujours rêvé de changer le monde.

Alain m'a fait part d'une réflexion que je fais mienne désormais : «Un psychologue lié à l'industrie du *gambling* écrivait : "L'humain est toujours responsable de son bonheur." C'est vrai. Mais protéger la liberté de choix de ses citoyens, c'est beaucoup plus que de les blâmer de tomber dans un piège. Je crois que le bonheur commence par vivre dans un pays où l'État ne considère pas ses citoyens comme des pigeons à plumer. »

Nous étions d'accord sur toute la ligne, car je n'avais jamais moi non plus déresponsabilisé les clients de la société d'État. J'étais en mesure de faire la part des choses entre une sollicitation et un acharnement, mais aussi à même d'assumer le fait qu'il est trop tard pour faire disparaître toute loterie et tout jeu de hasard et d'argent. En amorçant mon militantisme, j'avais conclu que le problème était éthique et que la gestion avait désormais besoin d'une bonne leçon de moralité. J'avoue avoir cru être l'initiatrice d'un grand débat de société. Ce fut une belle leçon d'humilité, encore, d'apprendre qu'un groupe sérieux en était déjà arrivé aux mêmes conclusions que moi. Emjeu avait non seulement des objectifs bien précis, mais aussi des solutions plus que réalistes. Contrairement à moi qui dénonçais, mais ne proposais rien de concret pour faire avancer la cause. C'est d'ailleurs ce qui me motiva à me joindre à eux.

L'armée Emjeu

Je fais désormais partie d'une petite armée de personnes dévouées qui se battent pour des motifs de santé publique, pour le bien commun. C'est dans cette petite mais puissante coalition que je pus entreprendre ma croisade et que ce livre a été écrit. Coalition formée de neuf membres représentant presque parfaitement chacune des personnalités affectées de près ou de loin par les problèmes issus des jeux d'argent.

Je me sentis immédiatement la bienvenue! Je me suis rapidement liée d'amitié avec Alain, qui lutte pour cette cause depuis près de dix ans. Il a le visage jeune, et ses quelques rides sont l'œuvre des tempêtes de revendications. Il en connaît plus sur les rouages du jeu que le porte-parole de Loto-Québec. Mais surtout, il connaît les joueurs. Travailleur psychosocial (agent de relations humaines) dans un centre public de traitement de la toxicomanie, de l'alcoolisme et du jeu pathologique, il possède des compétences indubitables.

D'ailleurs, chacun des membres de la coalition a une crédibilité incontestable. À tel point que Loto-Québec refuse de débattre publiquement avec eux, avec nous.

Les soldats

En novembre 2005, plusieurs mois après nos échanges virtuels, je pus enfin rencontrer les autres membres de mon nouveau groupe. Impatiente à l'idée de faire leur connaissance, je pris un temps fou pour trouver le restaurant de la rue Saint-Denis où avait lieu ma première réunion officielle et où on officialiserait ma nomination de membre à part entière.

Jean Métayer était déjà là, arrivé le premier. Je l'embrassai sur les deux joues en tenant fermement sa main. Ce négociateur à la retraite en profita pour me raconter comment son combat s'était amorcé : « À cinquante-deux ans, lors de ma retraite, j'étais libre comme l'air. Je me promenais au hasard de mes goûts et aspirations, mais à chacun de mes achats dans différents commerces, je sentais de plus en plus la pression que faisait Loto-Québec pour me vendre ses produits. Cela m'a fait prendre conscience de leur désir acharné d'inculquer à la population l'habitude des jeux de hasard et d'argent dans sa vie quotidienne et, par le fait même, de nous rendre accros. À ce harcèlement s'ajoutait la campagne d'Anne Roy, la porte-parole de l'époque, qui reportait tout le blâme du jeu pathologique sur la population. Loto-Québec se déresponsabilisait au moment même de la prolifération des machines à vidéo poker dans notre environnement immédiat ! C'est ainsi qu'est né mon combat dont l'objectif principal était le retrait systématique de ces machines infernales de notre environnement et l'arrêt catégorique de l'expansion des jeux de hasard et d'argent. »

De fil en aiguille, Jean a rencontré Alain qui cherchait une façon de s'associer à d'autres intervenants publics et ainsi de s'entendre sur un certain nombre de revendications. Un à un, les membres d'Emjeu se sont ajoutés pour former la coalition telle que je la connais aujourd'hui. Parmi eux, Pierre Desjardins, professeur de philosophie depuis plusieurs années au collège Montmorency, a écrit *Le Livre noir de Loto-Québec**. J'avais lu sur le site Internet d'Alain une description

---

* *Le Livre noir de Loto-Québec*, Les intouchables, 2003.

éloquente de ce maître-penseur, reconnu pour son sens critique redoutable et ses capacités d'analyse. Je ne l'avais jamais rencontré, mais déjà j'étais en admiration. Lorsque ce personnage arriva sur place, je le scrutai avec mon radar de croupière toujours en fonction, espérant trouver une façon de lui plaire. Petites lunettes excentriques, béret et foulard jeté derrière l'épaule, malgré son verbe et son charisme, Desjardins reste un homme amical et facile d'approche. «C'est un cadeau du ciel que tu joignes nos rangs», m'a-t-il dit. J'étais profondément touchée, mais aussi de plus en plus fière de faire partie d'Emjeu.

Le troisième à arriver fut Did Tafari Bélizaire, que j'avais déjà rencontré lors d'une conférence que nous avions tous deux présentée en juin 2005. À cette époque, je ne savais pas que nous allions nous revoir. Lorsqu'il arriva à la réunion accompagné d'étudiantes qui tournaient un documentaire sur sa vie, je me remémorai le récit troublant de cet homme immense.

Octobre 2004. Au petit matin, Did se tient en haut du pont Jacques-Cartier. Les usuriers cumulant des intérêts de cinquante dollars par jour, ses dettes de jeux ont atteint un point de non-retour. L'eau coule sous le pont, elle continuera de le faire quand il ne sera plus là, pense-t-il. Il saute, laissant derrière lui une dizaine d'années de jeu pathologique.

Lorsqu'il se réveille, il ne sent plus ses jambes, mais le courant qui l'emporte. Son instinct ordonne à ses muscles de nager, de se battre pour gagner le rivage. Il a mal. L'eau est froide. Il lutte pour une nouvelle vie qu'il ne connaît pas encore. Il nagera près de deux heures avant d'être repêché. À l'hôpital, tout comme l'usage de ses jambes qu'il ne retrouvera jamais, sa dette disparaît en même temps que le prêteur, qui était passé constater l'état de son prisonnier. Mais le cœur et l'âme de Did sont toujours là. Aujourd'hui, il parcourt les écoles pour faire part de son expérience aux enfants. C'est devenu sa raison de vivre, sa motivation. J'étais très heureuse de le revoir.

Jean me parla aussi de May Chiu, dont la grossesse avancée limitait les déplacements. Jusqu'à ce jour, je n'ai toujours pas eu l'occasion de rencontrer cette grande défenderesse du monde. C'est une pionnière, auteure de grands changements. Elle a parcouru l'Afrique et des pays comme Cuba, le Salvador et le Mozambique afin de lutter sur le terrain contre la pauvreté. Elle intervient aussi en matière d'éducation et de développement international. C'est une brillante avocate qui, de toute évidence, veut notre bien. Elle fut directrice de projet au service de la famille chinoise du Grand Montréal, responsable du projet «Jeu compulsif» et conseillère en immigration et droits humains. Il est important de souligner – ce qui ne fait qu'ajouter au mérite de May Chiu – son action déterminante en 2002 : elle a organisé et supervisé les actions de la communauté chinoise qui ont permis d'éviter l'ouverture d'un minicasino dans le quartier chinois de Montréal. Elle a bel et bien réussi à faire échouer un projet de Loto-Québec extrêmement dangereux pour cette petite communauté particulièrement vulnérable aux jeux de hasard. Un précédent qui fut presque passé sous silence, malgré l'impact positif qu'il a encore aujourd'hui sur la santé de cette population. May Chiu a également réussi à faire retirer du marché une loterie qui s'adressait spécifiquement à la communauté chinoise.

Avec l'arrivée de Sol Boxenbaum, la réunion pouvait commencer. Je m'étais documentée sur cet homme brillant, avocat du peuple et protecteur du citoyen que j'avais déjà rencontré à la conférence donnée avec Did. Sol est connu dans tout le Canada, aux États-Unis et aussi en Australie. Cette sommité en matière de prévention du jeu compulsif est suffisamment crédible pour s'adresser à l'Assemblée nationale et participer à deux commissions parlementaires. Aujourd'hui, il anime sur CJAD une émission de radio consacrée au jeu compulsif. Il ne se gêne pas pour alerter l'opinion publique sur les abus et le manque d'éthique de cette industrie.

En cet après-midi de novembre 2005, le projet de déménagement du Casino de Montréal était au cœur de nos préoccupations. Pierre me raconta que le terrain du Canadian National (CN) destiné au futur mégacentre de divertissement avait déjà été acheté un dollar par la Société du Havre, une société subventionnée par les fonds publics ; Lucien Bouchard et Claude Monjo, président de la multinationale Saputo, sont membres du conseil d'administration. Cette même société aurait refusé un an plus tôt une offre d'achat de plusieurs centaines de milliers de dollars venant d'une compagnie privée qui avait comme projet un développement immobilier et la construction d'un cinéma. À ce prix de vente de un dollar s'ajoutait une entente signée de confirmation du déménagement du casino. Comme si tout avait été décidé d'avance, peu importe les oppositions. Encore une fois, ce serait une poignée d'hommes d'affaires qui déciderait des grands enjeux de notre société *démocratique*.

Notre coalition s'opposait farouchement à ce projet de Las Vegas *cheap* au cœur d'un quartier défavorisé. Nous nous sommes alliés à Action Gardien qui rassemblait déjà la presque totalité des regroupements communautaires du quartier Pointe-Saint-Charles et qui avait l'appui de plus d'une centaine d'organismes communautaires de toute la province. La population allait se faire entendre et se défendre.

Nos espoirs de faire échouer ce projet d'expansion reposaient sur la ténacité des citoyens et sur l'espoir que le rapport d'une équipe de chercheurs chevronnés nous soit favorable.

Tout au long de cette réunion, je ne cessai de m'exclamer : «Quoi! c'est vrai?» Mais plus on me donnait des informations, plus je me sentais mal à l'aise. Je commençais à craindre d'en savoir trop sur ce qui se tramait. Avais-je peur de fouiller un peu plus loin dans une histoire aussi nébuleuse? Certainement. Le destin m'avait fait cadeau d'une vie qui grandissait en moi depuis deux mois. Mon courage avait changé de visage et ma fougue n'était plus animée d'insouciance. Désormais, tout ce qui sentait un peu trop mauvais pouvait nuire non seulement à ma santé, mais à celle de mon bébé. J'écoutais attentivement mes nouveaux alliés. Je compris que j'avais besoin d'eux, bien plus que je ne l'avais imaginé.

Les enfants

Lors de ma deuxième réunion avec Emjeu, qui eut lieu en avril 2006, l'ordre du jour nous proposait de réfléchir à toutes les solutions possibles à ce fléau et aussi de présenter les implications des actions que chacun d'entre nous avait entreprises au cours des derniers mois. De plus, je savais que j'allais enfin rencontrer Phyllis Vineberg, la mère des malheureux. J'étais nerveuse.

Alain prit la parole. J'étais heureuse de l'entendre énumérer de nouveau les si brillantes solutions aux problèmes que nous nous acharnions à régler. Je sentais que notre coalition avait du poids et j'étais fière d'agir pour une si noble cause. J'y croyais.

Puis, une dame épuisée, harassée, tourmentée se présenta devant nous. La douleur et la peine ont usé ses paupières tout autant que ses yeux, et son sourire a complètement disparu. Phyllis a perdu son fils, il y a dix ans. Il s'est enlevé la vie. Pour cette maman, il aura fallu beaucoup de temps avant de découvrir les raisons du départ de son fils. Il lui en faudra encore bien plus pour vivre son deuil. Elle n'a jamais pu tout à fait réintégrer le monde qu'elle avait connu. Elle souffre de dépression majeure. Toujours sous médication, elle est incapable de retourner travailler.

C'est une rage bien plus grande encore que celle que j'ai connue qui éclate dans chacune de ses charges contre le système. Elle a besoin de coupables. Même si aujourd'hui encore, elle se sent toujours «la grande coupable», nous avoue-t-elle, la gorge nouée. La culpabilité de la mère. La même que celle de la maman de Did, et pourtant...

Le désespoir de Phyllis est si lourd qu'il m'était presque impossible de la regarder. Les gens autour d'elle se sentaient mal à l'aise, et chacun cherchait ses mots. Lors de cette première rencontre, mon bedon était bien rond et pendant son récit, mon bébé bougeait sans arrêt. Quand Phyllis, en larmes, tournait son regard vers moi, je me sentais coupable. Coupable d'attendre un enfant tout neuf. Et que ce soit un garçon. D'avoir participé au fléau qui avait emporté son fils. Je ne pouvais pas lui promettre que ce livre allait changer quoi que ce soit, mais j'aurais aimé lui faire cette promesse. Elle criait que nous étions «tous responsables de l'avenir de nos enfants». C'est pour cela que sa fille l'accompagnait. Pour que nous puissions garder bien gravée l'image de la beauté et de la pureté de la jeunesse. Je contemplais cette magnifique jeune femme blonde qui semblait porter sur ses épaules toute la peine de sa mère et la perte de son frère que sa maman lui rappelle chaque minute. Je n'oublierai jamais le visage de Phyllis, mais surtout, je n'oublierai jamais ses enfants.

Gagner

Effectivement, le rapport de la santé publique de Montréal sous la direction d'un expert en matière de jeux, Serge Chevalier, fut dévastateur. C'est presque à l'unanimité que le Québec a conclu que cette aberration était un bien mauvais projet. On compte parmi les exceptions des commerçants, des promoteurs, un chercheur de Loto-Québec et aussi, malheureusement, le Cirque du Soleil, qui comptait s'y associer.

Loto-Québec, ne pouvant en aucune façon prouver que cette expansion stratégiquement localisée n'aurait pas d'impact sur la santé et la sécurité de la population, et face au retrait du Cirque du Soleil, qui ne voulait plus être mêlé à un projet si controversé, fut obligée d'abandonner son projet d'implantation d'un casino dans le Vieux-Montréal.

Ce fut l'une des plus grandes victoires de l'histoire d'Emjeu. Comme le dit Alain : « L'importante attention médiatique que suscita cette cause nous a donné une occasion unique de sensibiliser la population du Québec aux dangers et ravages causés par la gestion étatique désinvolte et empreinte de néolibéralisme des jeux d'argent et de hasard. » Ce triomphe venait confirmer ce que Pierre avait écrit un jour : « Que l'État québécois contrôle les jeux de hasard et qu'il empêche toute forme de jeu illégal ou mafieux est une chose, mais qu'il en fasse une de ses principales entrées d'argent, voilà qui est proprement immoral ! Si le phénomène des loteries ne peut être enrayé de façon draconienne, l'État a quand même le devoir de modérer sa croissance en limitant volontairement l'expansion de son marché ; car il n'a pas le droit de boucler son budget en exploitant à fond les vices d'un système sans tenir compte du mieux-être aussi bien spirituel que matériel de ses citoyens... »

Alain connaît sa matière par cœur. Il est bon de l'entendre nous la réciter : « Puisque le gouvernement et donc nous tous sommes aujourd'hui dépendants des quelque 1,6 milliard de dollars de profits annuels de cette industrie, nous nous devons d'exiger une réévaluation de nos responsabilités. La gestion des jeux de hasard et d'argent doit obéir à de stricts motifs de santé et de sécurité publique. Il est d'abord impératif d'en freiner l'expansion immédiatement. Le cadre législatif qui doit limiter et circonscrire ce fléau devrait être en tout point similaire aux règlements et lois qui encadrent l'industrie du tabac, y compris en termes de publicité, de promotion et de commandites. Les appareils de loterie-vidéo doivent être retirés immédiatement de tous les bars et établissements privés servant de l'alcool et être dorénavant uniquement mis à disposition dans les casinos. »

Alors voilà, il existe, ce rassemblement de bonnes volontés et de gens informés. Leur mission commune, et par conséquent, la mienne, est aussi belle que pourra l'être un jour la province. Je m'associerai à eux jusqu'à ce que les changements soient satisfaisants. Jusqu'à ce que nos revendications soient entendues.

CHAPITRE 6

Tout est sous contrôle

C'est en écrivant le récit de cette courte mais éprouvante partie de ma vie que, lentement, le désir sincère de connaître l'ampleur de cette calamité se mit à m'obséder. Quels sont les efforts déployés par ces détrousseurs? Jusqu'où vont-ils? Je fouillai sans relâche et ne parlai que de cela pendant des mois, au point d'exaspérer les gens qui m'entouraient. Mais plus mes recherches avançaient, plus mon acharnement, ou plutôt ma quête de vérité, se justifiait. Voici le fruit de mon travail.

Loto-Québec a un budget publicitaire annuel de 21 millions de dollars pour 7 millions d'habitants, soit 3 $ par personne. Nos voisins du sud, qui sont considérés comme des champions en marketing et en publicité agressive, dépensent 0,40 $ par habitant. C'est donc grâce à ce harcèlement que Loto-Québec vient gruger les moindres résistances des consommateurs de jeux, et ce, avec l'assentiment de notre gouvernement*.

---

* Extrait, cité non textuellement par Jean Métayer, du *Livre noir de Loto-Québec*, de Pierre Desjardins, Éditions les Intouchables, 2003, p. 17.

Ces chiffres n'incluent pas le financement des horribles émissions de télé comme *La poule aux œufs d'or* ou *Roue de fortune,* ces grossières «infopubs» déguisées en *quiz* diffusées à l'heure où les enfants sont devant le poste. Les «primes de ventes» versées aux commerçants et à leurs caissières sont-elles aussi incluses dans ces 21 millions? En fait, dans une certaine pharmacie, la caissière perçoit un bonus, sur sa paye, pour les «gratteux» qu'elle aura réussi à vendre. Une caissière-croupière! N'y aura-t-il donc plus d'endroits sans publicité de Loto-Québec? Il n'y en a pas dans les écoles, c'est vrai, mais au dépanneur, juste au coin de la rue, oui. Il y a même des kiosques Loto-Québec dans les hôpitaux.

Élisabeth Papineau et Serge Chevalier* déclarent que depuis 2002, Loto-Québec remet en dividendes au gouvernement des sommes supérieures à celles fournies par Hydro-Québec ou la Société des alcools du Québec. Les jeux de hasard représentent 3 % du budget provincial, soit 1,35 milliard de dollars. Ces deux éminents chercheurs posent la bonne question : «Comment donc concilier la santé et les finances publiques? L'État infirmier et l'État tenancier? »

En 2001, la responsabilité de la prévention et de la recherche sur le jeu pathologique a été transférée de Loto-Québec au ministère de la Santé et des Services sociaux. Malgré cela, Loto-Québec a trouvé une façon

---

* Serge Chevalier, est sociologue et spécialiste des jeux d'argent, et Élisabeth Papineau est chercheuse à l'Institut national de la recherche scientifique et à l'Institut national de santé publique du Québec.

de maintenir un certain contrôle : instaurer la Fondation Mise sur toi pour la prévention du jeu pathologique. Cette fondation redistribue les sommes qu'elle reçoit au Centre québécois d'excellence pour la prévention et le traitement du jeu (CQEPTJ), entre autres, et décrit sa mission comme suit : « Le Centre […] est une unité de recherche et de formation continue reconnue par l'École de psychologie de l'Université Laval. Il collabore avec d'autres laboratoires de recherche et assure une expertise unique de par la diversité de ses activités*. » Bonjour l'objectivité ! De toute façon, les miettes des profits utilisés pour la « recherche et la prévention » n'affectent en rien les profits astronomiques de l'État, et les fameuses recherches n'ont donné, à ce jour, rien de bien innovateur.

Effectivement, au Québec, c'est environ 113 millions de dollars du profit des casinos et « restos casinos » qui sont donnés au gouvernement et à la collectivité chaque année, sur plus ou moins 750 millions de chiffre d'affaires. Bon d'accord, les six mille salariés reçoivent leurs payes à même les profits. Mais ces salaires doivent-ils être considérés comme une « redistribution » des profits dans la collectivité** ?

L'augmentation constante des profits de Loto-Québec témoigne d'elle-même. Il est facile d'accuser cette entreprise de se baser sur le nombre de faillites, de démunis, de suicides et sur le taux de criminalité pour budgétiser ses investissements. Les dirigeants ne

---

* http://www.psy.ulaval.ca/~jeux/accueil.html
** *Rapport annuel de Loto-Québec 2005,* www.loto-quebec.com

se fient sûrement pas sur le tourisme ou les vacances de la construction pour choisir l'emplacement idéal des appareils de loterie vidéo (ALV). Ils ont des rapports, des données, des chiffres les renseignant précisément sur les lieux rentables. C'est un fait indéniable que les profits de Loto-Québec proviennent en majeure partie d'une clientèle issue des milieux défavorisés. Le journaliste Alexander Norris a enquêté sur ces stratégies : « Si on regardait la question selon les frontières des anciennes municipalités qui existaient avant les fusions municipales, on pouvait découvrir que 23 fois plus de licences par tête d'habitant avaient été octroyées dans les 10 anciennes municipalités les plus pauvres du Grand Montréal que dans les 10 anciennes municipalités les plus riches [...]. Il s'est avéré qu'il y avait une forte corrélation entre le nombre de licences de loterie vidéo par tête d'habitant dans ces zones géographiques et le pourcentage de foyers qui y vivaient en dessous du seuil de la pauvreté (ou le seuil de faible revenu, comme l'appelle Statistique Canada). Plus la concentration de foyers pauvres dans un quartier était forte, plus les probabilités étaient élevées d'y trouver un nombre plus fort par tête d'habitant de licences pour des appareils de loterie vidéo[*]. »

Comme l'avait écrit Sol Boxenbaum, dans une lettre adressée à *The Gazette*, « grâce aux ALV, Loto-Québec siphonne plus de trois millions de dollars chaque

---

[*] « Les appareils de loterie vidéo – une taxe sur les pauvres », Alexander Norris, 72e Congrès de l'ACFAS, Montréal, le 13 mai 2004.

jour de l'année, auxquels s'additionnent les millions recueillis dans les casinos, par les gratteux, les paris sportifs, etc. Ils peuvent se permettre de commanditer chaque festival que l'industrie du tabac s'est vue forcer d'abandonner, du festival Juste pour rire au Grand Prix de Montréal. Mais le gouvernement qu'il représente ne peut subventionner 300 patients de Montréal qui ont besoin d'un service de taxi pour recevoir leur dialyse. Un maigre 13 000 $ par année par malade est introuvable, mais le transport adapté pour des personnes à mobilité réduite est offert gratuitement, sur demande, pour l'aller-retour au casino ».

Il était une fois...

Depuis l'implantation des ALV, on estime que les Québécois ont perdu plus de 10 milliards de dollars. Cette perte est la conséquence d'une dépense au jeu de plus de 125 milliards de dollars. Les profits tirés de ces machines exploitant une vulnérabilité normale de l'intelligence naturelle sont passés de 60 millions à 311 millions en une seule année (1994-1995). Il s'agit d'une augmentation de 520 %. Plutôt efficace. C'est l'équivalent d'un employé qui passerait en douze mois d'un salaire annuel de 30 000 dollars à 186 000 dollars.

Les machines à sous ont vu le jour dans des circonstances qui me sont extrêmement familières. Jusqu'à la création des casinos à Atlantic City, en 1978, les casinos offraient surtout des tables de jeu majoritairement occupées par des hommes. Rien n'indique que les gestionnaires de casinos espéraient vraiment faire de l'argent avec les machines, mais ceux-ci auraient plutôt eu pour objectif de garder les messieurs le plus longtemps possible en occupant leurs épouses. Ne s'intéressant pas beaucoup aux jeux de table, les femmes s'impatientaient au bout de quelques heures et faisaient pression pour précipiter le départ. L'intérêt des conjointes pour les appareils de jeu s'est avéré providentiel pour les propriétaires de casino.

Plusieurs fois par jour, j'ai vu des conjointes exaspérées exiger de quitter le casino. La meilleure façon trouvée par les hommes pour se débarrasser de ces épouses exaspérantes était de leur donner des jetons. Des milliers de femmes ont vraisemblablement développé la pathologie du jeu par cette seule initiative de leurs époux.

Le gouvernement du Québec a installé les premiers appareils de jeu au casino de Montréal en octobre 1993, puis au casino de Charlevoix et dans quelques milliers de bars du Québec à partir de juin 1994. À ce moment déjà, des indices laissaient entrevoir la dangerosité de ces appareils. Partout où les ALV ont été implantés (aux États-Unis ou ailleurs), des organismes communautaires, scientifiques ou médicaux n'ont pas tardé à constater une augmentation rapide des demandes d'aide médicale. Des scientifiques québécois avaient eux aussi constaté les dangers des vieux appareils de vidéo poker, pourtant bien moins équipés pour provoquer la dépendance[*]. Ce

---

[*] « Évaluation de la dangerosité des appareils de loterie vidéo », Jean Leblond Ph.d. (psychologie), 20 mai 2004, pp. 101-120.

que Loto-Québec, le gouvernement et ses ministères savaient ou auraient dû savoir.

Selon les preuves amassées par Jean Leblond, on constate que les appareils de jeu en sont à leur quatrième génération. Les modèles évoluent. Ce qui veut dire qu'avec le temps, le nombre de malades du jeu augmente au même rythme que les profits des exploitants, motivant ainsi l'évolution de l'outil. De plus en plus attrayant, il est toujours à la fine pointe de la technologie.

« L'appareil de loterie vidéo (ALV) est l'aboutissement d'un processus évolutif répondant à des objectifs de développement. Il ne s'agit pas d'une innovation technologique dont les impacts étaient difficiles à prévoir. L'histoire moderne des ALV est celle d'un jeu automatisé à espérance négative de gain, celle d'un appareil qui gobe automatiquement des mises et qui paie tout aussi automatiquement des lots. C'est l'histoire d'un croupier insensible qui peut s'exécuter toujours plus vite sans rien percevoir des besoins humains. Tout concorde pour qu'ils soient dangereux[*]. »

La première génération d'appareils date de la fin des années 1800 et du début des années 1900. Ils étaient dispersés dans de nombreux petits commerces de détail et ne se trouvaient pas encore dans les établissements de jeu. Ces premiers appareils avaient alors l'aspect d'un gadget et étaient placés près des caisses enregistreuses dans le but de recueillir la monnaie que le commerçant

---

[*] Jean Leblond Ph.d. (psychologie), *Op. cit.* 20 mai 2004, p. 26.

remettait aux clients. Dernière offre du commerçant et dernière tentation du client entre la caisse et la sortie.

Lorsque le gouvernement américain a passé le *Johnson Act*, en 1951, la distribution des gobe-sous a été limitée aux seuls casinos existant légalement. À cette époque, ces derniers n'étaient légaux qu'au Nevada et, marginalement, dans une partie des États de l'Idaho et du Maryland. Au début, les gestionnaires des casinos n'attendaient pas un rendement financier intéressant des gobe-sous, car en comparaison avec les tables de jeu, on n'y jouait que de la petite monnaie. Toutefois, à l'usage, les gestionnaires ont constaté la popularité des appareils auprès des conjointes des gros joueurs. Le divertissement de ces conjointes était un problème pour les gestionnaires, car celles-ci s'ennuyaient vite d'observer leurs hommes et leur demandaient très tôt de quitter le casino pour se diriger plutôt vers les cabarets. L'idée a alors germé de développer des appareils capables de retenir le plus longtemps possible l'attention des conjointes quitte à ne pas faire de profits avec les appareils de jeu. L'intention n'était pas de leur vider les poches, mais au contraire de les faire jouer longtemps pendant que le casino vidait les poches de l'époux aux tables de jeu. C'était la mentalité des années 50, avec l'homme pourvoyeur de fonds et l'épouse dépendante. Dans ce contexte, le fonctionnement des gobe-sous a été modifié afin de les transformer en machines à sous ; des appareils où on joue avec des sous plutôt que pour des sous. On y a augmenté le taux de remise. Paradoxalement, plus les appareils ont été programmés pour remettre aux joueurs une proportion élevée des mises, plus les profits des machines à sous ont augmenté. Malgré le fait que cela prenne plus de temps pour faire perdre l'argent, un appareil qui retourne 92 % des mises entraîne une dépense totale au jeu beaucoup plus grande qu'un appareil fixé à 72 % et encore extraordinairement plus qu'un appareil limité à 54 %. Plus le taux de remise (ou taux de retour) est élevé, plus l'appareil est dangereux. Le refuge des gobes-sous dans les casinos et leur transformation subséquente en machines à sous a été le début du fléau, l'apparition de la fameuse deuxième génération.

Les années soixante-dix virent la miniaturisation des composantes informatiques. Cette époque glorieuse a fait naître une troisième génération d'appareils pouvant désormais interagir avec le joueur. Tous les jeux de cartes étaient dorénavant possibles.

L'informatisation des jeux de poker et de black-jack fut d'abord un défi posé aux étudiants en informatique. L'industrie a ensuite récupéré leurs inventions pour en faire des jeux vidéo installés dans les dépanneurs. Quelle évolution, depuis les gobes-sous du début du siècle !

Un peu plus tard, les casinos ont récupéré ces jeux vidéo pour enseigner les rudiments des jeux de cartes aux personnes n'osant pas s'initier directement aux tables. À cette époque, les tables de jeu étaient encore considérées plus rentables par les gestionnaires de casino.

La dernière génération est celle des appareils de loterie vidéo. Essentiellement conçus pour contrer la concurrence des casinos étrangers ou des établissements illégaux, ils furent inventés pour que le bel argent demeure à l'intérieur des frontières et tombe dans les poches du gouvernement. En déclenchant volontairement une dépendance pathologique envers l'appareil, les joueurs n'étaient plus tentés d'aller jouer ailleurs, trouvant toujours à proximité de quoi assouvir leurs besoins. La suite logique de la stratégie aurait dû être de détecter les joueurs malades et de les traiter afin qu'ils ne soient plus tentés de jouer du tout, ni chez eux ni ailleurs. Malheureusement, ce ne fut et ce n'est toujours pas le cas. Peu d'États agissent ainsi. Au Québec en tout cas, on multiplie l'offre et on ne traite pas les joueurs malades. On en est encore au stade des recherches, parce qu'il faut bien comprendre la maladie que l'on a créée.

Les «cancers automatisés» du nouveau millénaire sont conçus expressément pour déclencher des épisodes de jeu pathologique alors que, pour les générations d'appareils antérieures, le jeu était spontané et sporadique. Qui sait, peut-être aurons-nous droit à une cinquième génération qui prendra directement les cartes de débit et de crédit, qui vous dira bonsoir et merci une fois vos poches vidées. On n'arrête pas le progrès.

Les machines de loterie vidéo sont volontairement distribuées dans les bars des secteurs les plus pauvres, en se basant sur les revenus familiaux des quartiers, là où le nombre de chômeurs et d'assistés sociaux est au plus haut. On sait pertinemment que nos «modestes» casinos n'attirent pas les touristes dans la belle province, nos sombres tavernes encore moins. En fait, ce que les casinos considèrent comme touristes, ce sont les Québécois des régions qui parcourent un minimum de kilomètres pendant leurs fins de semaine… Les casinos du Québec ne sont pas une ouverture sur le monde. Un peu de sérieux ! Les ALV rapportent plus de sous que les trois casinos réunis, plus que les bingos et les gratteux. Alors, qui renfloue les coffres de l'État ? Ce sont les petits villages désabusés comme Schefferville, qui rapportait annuellement 1 million de dollars de profits à Loto-Québec avec seulement dix machines à sous pour une population de moins de deux mille habitants*. « […] Drogue, alcool, violence, négligence, sous-scolarisation et suicide sont extrêmement répandus. Le tiers des enfants est sous la protection de la Direction de la protection de la jeunesse**. »

« "Ce que fait Loto-Québec ici est légal, mais c'est immoral. La population est captive, elle n'a pas d'autres activités", disait Robert Madden, directeur du Centre de santé et des services sociaux de Matimekush***. »

Le consultant pour la communauté innue, Pierrot R. Tremblay, a lui aussi lancé plusieurs appels à l'aide. Et, un jour, tous deux ont fini par être entendus. Loto-Québec a admis pour la première fois, implicitement, la dangerosité de ses appareils et accepta de retirer ses machines de destruction massive. En moins d'une année, il n'en restera aucune à Schefferville.

---

* Tiré de Panasuk, Anne. *Zone libre,* « Le crack de la loterie vidéo », Radio-Canada, février 2005.

** Gagnon, Katia. « Fini la loterie vidéo chez les Innus à Schefferville », *La Presse*, mercredi 3 mai 2006, p. A17.

*** Gagnon, Katia. *Idem.*

Lavage de cerveau

La Malbaie a connu un nombre dramatique de faillites, de suicides et de familles détruites depuis la création du casino. Un fléau qui gangrena une minuscule municipalité en moins de cinq ans. On trouve des appareils de loterie vidéo dans la majorité des bars du village et des alentours. Au cas où un joueur insomniaque aurait envie de tenter sa chance une dernière fois, sur le trajet du retour, ou parce que le programme d'autoexclusion du casino aurait été efficace.

À La Malbaie, au fil des ans, j'ai rencontré des dizaines de personnes qui ont perdu leur dignité. Après avoir dilapidé REER, fonds de pension, maison, emploi et quitté les gens qui les aimaient, il ne leur reste plus rien. Ils se retrouvent seuls avec la machine.

C'est en lisant le rapport innovateur de Jean Leblond, docteur en psychologie, que j'ai enfin pu comprendre comment naît la pathologie. Selon son étude, les Québécois seraient exposés aux appareils de jeu qui sont actuellement parmi les plus dangereux du monde. Il faut d'abord savoir comment le cerveau humain est régi. Comment fonctionne ce qu'on appelle l'intelligence. L'intelligence écologique est le terme exact. Jean Leblond a travaillé pour le CQEPTJ. Il présente aujourd'hui son rapport, fruit d'une recherche indépendante.

Je vulgarise. L'explication est complexe mais efficace. Il y a quatre processus hiérarchisés dans notre matière grise : l'automatique, l'associatif, l'heuristique et le normatif.

Le processus **automatique** est machinal, involontaire, spontané. Comme un réflexe qui fonctionne de lui-même. Il est le plus primitif, car il demande le moins d'attention. Quand on marche, on n'a pas besoin de se concentrer pour réfléchir chaque fois à la façon de mettre un pied devant l'autre. Dans une journée, la majorité des gestes gérés par le cerveau sont le résultat d'un processus automatique. C'est un processus très utile lorsqu'il fonctionne bien, mais qui est particulièrement dommageable lorsqu'il devient erroné, car on a difficilement conscience de son fonctionnement erratique. C'est en partie pour faire prendre conscience de ces erreurs que les joueurs pathologiques ont besoin d'une aide thérapeutique professionnelle.

Dans cette hiérarchie, le processus **associatif** est cité en deuxième, bien qu'il s'exécute en même temps que tous les autres processus. Le processus associatif est ce que les psychologues appellent le conditionnement. Lorsque deux événements surviennent en même temps, ils deviennent associés. Si le second événement est une récompense, le premier devient associé à cette récompense. Par exemple, si j'obtiens un gros lot au moment où je me suis gratté le dos, et que cela se reproduit une deuxième et une troisième fois, il est fort probable que je sois tentée de vérifier l'hypothèse qu'un grattage de dos provoque l'acquisition d'un gros lot. C'est parce que cette séquence d'événements a conditionné mon esprit à retenir cette association. En règle générale, l'esprit humain écarte facilement les associations grotesques comme celui de cet exemple. Par contre, des centaines de conditionnements surviennent en situation de jeu, et la personne qui finit par développer un problème de jeu est celle qui a subi un conditionnement dont elle n'a pas suffisamment pris conscience.

L'**heuristique** est le plus important. Il s'agit d'un mécanisme décisionnel qui permet de prendre une décision quand on n'a pas toutes les informations ou le temps qu'il faudrait pour décider vraiment rationnellement. Dans la vie de tous les jours, il sert à la découverte. Ce serait très épuisant, s'il fallait à chaque décision devoir réfléchir à tous les aspects. Alors, nous utilisons des règles qui sont des raccourcis. Quand on décide d'acheter un type de pomme plutôt qu'un autre, on ne consulte pas tout ce qui a pu être écrit sur les pommes. Le plus souvent, on se fie à son goût, à l'apparence, au prix, à la réputation de ce type de pomme. Rien ne garantit que notre décision est la meilleure, mais cela fonctionne plus souvent qu'autrement, dans la vie de tous les jours. Dans le domaine du jeu, c'est ce qu'il ne faut jamais faire, puisque le jeu est typiquement conçu pour vous inciter à croire que le raccourci de raisonnement pourrait être bon, alors que le concepteur de jeu y a expressément placé son piège. Malgré le fait que ce soit des appareils complètement informatisés, les concepteurs de jeux simulent à l'écran des rouleaux qui semblent correspondre à de vrais rouleaux mécaniques. Quand on joue, on les regarde aller rapidement, puis plus lentement, pour finalement se stabiliser après un peu d'hésitation entre deux symboles. Tout cela est de la frime qui n'est destinée qu'à vous convaincre que, pour gagner, il faudrait analyser une mécanique. Or, il n'y a aucune mécanique. Le piège se situe dans le fait que, depuis le début de l'humanité, l'intelligence naturelle s'est développée à toujours rechercher la mécanique des choses. Il s'agit d'un réflexe naturel qui, uniquement dans le cas du jeu, mène au désastre.

Le processus le plus haut dans l'échelle fonctionnelle du cerveau, c'est le **normatif**. Il est constitué de jugements rationnels élaborés et de valeurs quantitatives exactes. Il génère des règles et des préceptes. C'est la logique. Seul l'humain possède ce processus.

La conception d'un ALV est étudiée pour solliciter un processus bas dans l'échelle de la pensée. Le concepteur fait d'abord appel aux processus automatiques du cerveau impossibles à contrôler pour le joueur. Pour cette raison, les rouleaux présentent des symboles graphiques et non des chiffres. Une association affective s'établit bien plus avec des icônes dodues et colorées qu'avec un chiffre terne. L'astuce consiste à maintenir la motivation, la persistance à jouer et ainsi à instaurer de fausses perceptions. Celles-ci sont surtout causées par des hasards exceptionnels, des hasards significatifs. Comme lorsque l'écran affiche trois cerises sur la même ligne deux fois de suite et que le joueur a misé le même montant avec le même geste. C'est si invraisemblable que le joueur ne croit plus au hasard et cherche des indices pour retrouver cette chance qui n'en est plus une à ses yeux. Si la foudre s'abattait sur notre maison, nous n'y verrions qu'une malchance exceptionnelle. Mais si la foudre choisissait une deuxième fois notre demeure, nous serions sidérés, car cela indiquerait que nous faisons certainement partie des personnes les plus malchanceuses de la Terre. À peine une poignée de personnes ont raconté avoir vécu une telle série d'événements. Mais si la foudre frappait une troisième fois notre maison, il ne serait plus raisonnable de nous croire simplement malchanceux. Il y a certainement une raison qui est désormais menaçante. Il serait grand temps de déménager et d'aller bâtir ailleurs. Ainsi, il est naturel d'accepter le hasard jusqu'à un certain point, mais aussi de le rejeter, si jamais un événement revient trop souvent.

Les icônes de cerises et de citrons ne sont que des images, de la fantaisie n'ayant rien à voir avec le fonctionnement réel du tirage. Cependant, la configuration de l'écran fait immédiatement appel à l'association de possibilités : « Là, j'ai presque gagné, il ne me manque qu'une cerise, j'y suis presque, je suis à deux doigts, la ligne juste au-dessus est gagnante! » C'est ainsi que le cerveau réagit. On n'est pas stupide, ni vulnérable, on a simplement un cerveau régi par un fonctionnement inné. D'ailleurs, cette prédisposition à percevoir l'ordre dans n'importe quel ensemble d'éléments est profitable dans le monde réel, celui de la vie quotidienne. C'est ainsi que l'homme est parvenu à sortir de sa caverne pour se rendre sur la lune. Le jeu est un environnement artificiel dans lequel le hasard empêche les occasions d'instaurer un ordre prévisible.

Lorsque les personnes commencent à jouer sur les ALV, elles le font pour le plaisir ou pour se détendre. Elles ne portent donc pas toujours attention aux événements précis qui surviennent. Pourtant, les processus automatique et associatif enregistrent néanmoins ces informations et créent des liens qui influencent insidieusement le comportement, en particulier la dépendance au jeu. Plus les gens jouent sans y porter d'attention, plus il se construit dans leur cerveau une représentation erronée de la situation réelle de jeu. Quand quelques petits gains surviennent, le processus heuristique est d'abord sollicité. La personne commence à chercher des trucs pour découvrir comment répéter ces petits gains. On surveille sans trop les compter la fréquence d'un symbole plutôt qu'un autre. On écoute les sons de l'appareil. On essaie d'imaginer la mécanique intérieure. On examine depuis combien de temps l'appareil n'a pas payé. On commence à varier le montant des mises dans un ordre particulier. On essaie de presser le bouton d'arrêt au bon moment. Puis quand on voit passer une fois la combinaison du gros lot, puis deux fois, puis trois fois, on cesse de jouer sans trop y porter attention. On commence à comptabiliser précisément ce que l'on fait, ce que l'on perçoit. On passe du processus heuristique au processus normatif. On essaie de jouer scientifiquement. Mais, parce l'expérience de jeu précédente a été réalisée uniquement avec les processus automatique, associatif et heuristique, notre compréhension du jeu a été insidieusement déroutée vers des représentations erronées. Dans ce cas, autant notre esprit est puissant, autant nous nous enfonçons profondément dans nos erreurs.

Les concepteurs misent donc sur la logique de notre intelligence naturelle. En présentant constamment des quasi-succès, par exemple, quatre pommes et une orange alignées, l'illusion de passer près d'un lot gagnant devient de plus en plus nocive. Cela devient aussi prenant qu'un verre d'alcool pour un alcoolique ou un gâteau pour un boulimique. Le joueur a l'impression que la chance approche, puisque ce genre de situation revient fréquemment. Il se dit que s'il avait appuyé juste un peu plus tard sur le bouton ou même un peu plus fort, ou s'il avait misé différemment, il aurait gagné.

C'est cette impression d'avoir raté le gros lot par si peu qui incite à essayer de nouveau, à remettre de l'argent. Si l'écran montrait le réel fonctionnement de la majorité des machines, on verrait un écran noir. Vide de toute supercherie. On y verrait le nombre de possibilités pour une mise gagnante et puis un message qui dirait «gagne», «ne gagne pas». C'est tout. Bon, d'accord, il n'y aurait plus un joueur sur la planète. D'ailleurs, pour faire décrocher un joueur, une façon très efficace est de lui expliquer ce fonctionnement : un nombre aléatoire est tiré dès qu'il appuie sur le bouton «jouer», et ce nombre détermine s'il est gagnant ou pas. Tout ce qui s'affiche à l'écran n'est qu'un mouvement trompeur qu'il est inutile d'analyser, car le résultat de la partie a été déterminé bien avant. Il faut connaître ce piège. Cela refroidit efficacement quiconque tente de comprendre sa maladie et de s'en sortir. Généralement, du moins. Généralement, car certaines machines sont construites de façon légèrement différente, et il serait mensonger de toujours utiliser cette explication.

Donne la patte !

La première fois que l'on joue, pour se distraire ou par curiosité, les processus normatifs ne sont pas enclenchés. C'est seulement à la longue que la conscience de la situation se fausse. Pour environ sept personnes sur dix, l'événement déclencheur est une séquence de gains significatifs. Ces personnes vont gagner plusieurs lots intéressants sur une courte période. Dès cet instant, l'attention du joueur sera mobilisée.

Sept joueurs pathologiques sur dix se retrouvent rapidement plongés dans l'engrenage des quatre processus, car ils ont eu la malchance de gagner un lot important dès leurs premières expériences de jeu. C'est la situation la plus dangereuse. Avec les sous récoltés, elles vont alors payer une facture inattendue ou de vieilles dettes, et la prochaine fois qu'elles auront une dépense imprévue, elles penseront à cette solution qu'est le jeu d'argent. En effet, leur cerveau a mémorisé l'événement salutaire. C'est évident, un gain salvateur, ça ne s'oublie pas et les liens de cause à effet se créent en donnant une fausse impression d'objectivité.

Idéalement, pour les profits de l'exploitant, le concepteur de jeu exploite les quatre catégories de processus. Il doit atténuer les jugements et la logique pour ensuite maximaliser la probabilité d'une séquence de gains significatifs. Le joueur va se rappeler des images à l'écran lors de sa partie gagnante, il associe alors le mouvement des cylindres et l'ordre des fruits à la séquence gagnante. La situation de jeu instaure une confusion entre les processus les plus éloignés de la conscience, entre les plus inconscients et les plus conscients. L'illusion de contrôle dont je parle souvent est le résultat de cette confusion.

Le but initial est de provoquer chez le joueur un lien entre un comportement et une récompense jusqu'à l'avènement d'une séquence de gains exceptionnels. Car ce qui stimule l'association, ce sont les récompenses. Si vous apprenez à votre chien à donner la patte moyennant une gratification, après un certain temps, vous n'aurez plus besoin de lui donner de récompense chaque fois : il donnera quand même la patte quand vous le lui demanderez. Parce que votre chien pensera avoir droit à sa gâterie comme si souvent auparavant. Mais le chien ne se laissera pas mourir de faim. Comme le joueur qui ne gagne jamais cesse de jouer et perd tout intérêt, ce qui arrive rarement, voire jamais. Dans ce but, la machine est réglée pour payer un peu de temps en temps, juste assez pour maintenir la motivation, et quelquefois des lots significatifs viennent encourager le joueur à jouer encore et encore et encore.

Dans le cas des machines à sous, ce processus est essentiel pour développer la dépendance. Un joueur n'est pas un malade mental ; au contraire, pour être un «bon » joueur compulsif il faut que ses processus mentaux soient tous bien fonctionnels. Le joueur est une personne en pleine possession de ses ressources mentales, mais qui commet l'erreur de les laisser s'activer dans une situation où ses perceptions sont erronées.

En effet, parmi tous les troubles mentaux, le jeu pathologique est exceptionnel, car il ne s'élabore pas à partir de mécanismes morbides, malsains, déviants ou faibles, mais bien à partir de processus sains, donc puissants et solides. La maladie se forge dans un environnement pour lequel le cerveau n'a pas été préparé par son évolution naturelle, bien au contraire.

Une maladie est facile à reconnaître. Douleurs, faiblesses, symptômes physiques anormaux. Très vite, on sait que ça ne tourne pas rond. Dans le cas du jeu pathologique, le joueur est en pleine forme pendant des heures et des heures. Il peut tenir comme ça toute sa vie s'il le veut. Avant de reconnaître son trouble mental, il aura dilapidé tous ses avoirs et trop souvent l'argent de ses proches. Il faut se rappeler que la plupart des joueurs pathologiques ont développé d'importantes dettes de jeu, c'est-à-dire qu'ils ont joué avec l'argent des autres. On peut être une victime du jeu sans avoir jamais parié soi-même. En ce sens, tant qu'il y a des sous accessibles, le joueur, pourtant malade à l'extrême, apparaît superficiellement en santé.

Le chemin caractéristique d'un joueur compulsif est d'abord de s'initier. Un premier petit 20 dollars en moyenne. Il joue un an régulièrement, en développant l'illusion du contrôle. La dépendance devient maladive. En règle générale, en trois ans il connaîtra des pertes financières dramatiques. Il perd tout, cesse de jouer devant la fatalité. Jusqu'à ce qu'il récupère des sous. Seul un faible pourcentage des joueurs compulsifs se fait traiter, mais la majorité lancera tout de même un appel à l'aide.

Malheureusement et inévitablement, certains s'avouent vaincus quand leurs actes lamentables pour obtenir des sous dépassent toutes les limites. Un nombre incalculable abandonne, le chemin du retour pour réparer les dégâts leur apparaissant trop long, trop difficile. Ils ne reconnaissent vraiment leur pathologie que trop tard, ou presque.

Selon le rapport de Jean Leblond, avant d'exposer le joueur à un appareil conçu pour engendrer une dépendance pathologique, Loto-Québec promeut une atmosphère de jeu incitant les joueurs à croire que la pathologie est rare. À rejeter la crainte de développer une «maladie du jeu» et, advenant le cas, à croire qu'il serait facile de s'en défaire ou d'en maîtriser les dommages. Sur un dépliant placé à côté des ALV, on peut lire ceci : «Pour la plupart des gens, l'attrait du jeu réside dans la possibilité de s'amuser, d'avoir du plaisir et de réaliser possiblement un profit instantané. Toutefois, pour une faible proportion de la population, le jeu devient beaucoup plus qu'un simple divertissement. » En premier lieu, ce texte constitue un amorçage particulièrement insistant sur le contexte de loisir et de divertissement, c'est-à-dire un contexte de relâche des processus normatifs. N'oublions pas le message défilant à l'écran des ALV : «Jouer avec modération pour que le jeu demeure un jeu. »

Ces messages suggèrent que si la dépendance se développe, il y aura toujours moyen de revenir à un jeu normal en se freinant. Ainsi, les avertissements amènent le commun des mortels à être certain de ne pas développer la maladie. La conviction que les dommages peuvent facilement être évités en se limitant un peu, alliée à l'impression que la maladie est rare, génère un optimisme irréaliste qui devient totalement illusoire. Alors non seulement personne ne met le client en garde mais, par ces messages, Loto-Québec persiste à conforter le joueur dans son impression de maîtriser le jeu. En effet, l'optimisme irréaliste est un phénomène fréquemment observé chez les personnes atteintes d'une maladie comme le cancer ou le sida. En raison de cet optimisme utopique, les malades tardent à consulter et parfois ce délai peut être fatal. Retarder une thérapie ne peut en aucun cas être favorable.

Loto-Québec subventionne des recherches visant à comprendre les processus de la pathologie. Avec la Virginie occidentale, le Québec est une des régions qui divulgue le moins d'information utile aux scientifiques. Si les recherches portant sur la prévention sont utilisées pour réduire le jeu pathologique, alors seulement à cette condition on affirmera qu'il s'agit bien d'un plan de prévention. Mais ces recherches peuvent aussi être utilisées pour mieux accrocher le joueur. C'est un vieux débat éthique, en sciences, paraît-il : on ne sait jamais comment l'institution va utiliser les résultats.

L'arnaque

Les méthodes pour provoquer une dépendance à l'intérieur d'un casino sont plus subtiles mais elles ressemblent aux méthodes de fidélisation de la clientèle des entreprises. C'est du moins la façon dont Loto-Québec les présente à ses employés. Et les résultats sont les mêmes.

Le nombre de tables disponibles par soir, la mise minimale et la mise maximale permise, le croupier désigné selon sa personnalité et ses statistiques de rendement – le temps de battage, par exemple, les cadeaux aux clients importants, les stratégies pour faire jouer le plus longtemps possible… Du vestiaire à la haute direction, tous ont une tâche bien définie. Le regroupement des machines selon qu'elles payent souvent ou non. Celles qui sonnent le plus souvent près de l'entrée ou bien à la vue, les moins généreuses mais plus captivantes, un peu plus isolées. Le regroupement selon leur grosseur, leur style, leur popularité. Les gestionnaires passent des heures à revoir leurs statistiques, la configuration de chaque section. Évidemment, tout l'aménagement des lieux est calculé. Les tables de jeu sont placées au fond du casino afin qu'au moment de s'y rendre ou de partir, le client soit soumis à des centaines de tentations.

Rien, rien n'est laissé au hasard. Même les détails les plus insignifiants comme l'ergonomie des chaises ou tout simplement l'odeur ambiante. Un des préposés à l'entretien m'a appris que les produits de nettoyage avaient été choisis par un *focus group*. Il s'agissait donc d'un parfum qui convenait parfaitement à l'établissement et sa mission.

Un jour, je demandai au chef pourquoi il fermait les volets dès que le soleil se couchait, et il me répondit : « C'est pour l'ambiance. » Il n'en fallait pas plus pour comprendre que ça allait de pair avec l'absence de repères temporels. Pas d'horloge, des fenêtres closes, l'éclairage parfait.

D'innombrables facteurs expliquent le comportement du joueur face aux jeux de hasard, mais le tout premier dont je remarquai l'effet est l'utilisation de jetons en plastique pour les mises plutôt que de vrais dollars en papier. Ce simple procédé minimise beaucoup l'ampleur des sommes mises en jeu. Si on empilait devant soi des dollars de papier, cela ferait probablement une grande différence.

Jouer à en mourir

Au Québec, le quart des joueurs envisage la mort comme solution au problème de jeu et s'y rend presque. Les enquêtes des coroners confirment que depuis dix ans, cent soixante-quinze décès sont liés à la maladie du jeu*. Cent soixante-quinze personnes ont laissé des preuves légales de leur pacte avec Méphisto et nous autorisent à associer leur mort aux problèmes de jeu. En 2004, on en comptait une trentaine. Impossible de connaître le chiffre exact, puisque souvent, la maladie et la détresse sont cachées aux proches des victimes.

Un employé de l'entretien ménager du casino de Montréal me raconta un jour qu'il avait été congédié pour avoir dénoncé les suicides dans les toilettes. Aux yeux de la société d'État, la lucidité et l'humanisme sont considérés comme une nuisance, voire un grave défaut. En fait, il s'agissait de tentatives et non de suicides accomplis. En effet, pour étayer cette dénonciation, je recherchais des statistiques, des preuves ou quoi que ce soit permettant de prouver l'existence d'un problème, un problème d'une telle acuité que cet ancien employé le qualifie de syndrome. J'appelai au bureau du coroner en chef du Québec. Il me confirma un seul suicide

---

* http://www.safety-council.org/CCS/sujet/commun/jeu.html

sur les lieux (dans le stationnement) du Casino de Montréal, en 2001. Ce qui ne collait pas du tout avec les informations de l'ancien employé.

Ma curiosité piquée, je fis quelques démarches pour découvrir le nombre de personnes ayant tenté de s'enlever la vie dans les murs des casinos. Première démarche : la Sûreté du Québec. La direction des communications m'annonça qu'elle n'était plus responsable de la sécurité dans les casinos, de la sécurité physique des biens et des personnes, ni de l'intégrité du jeu. La SQ intervenait seulement en cas d'infraction criminelle dans le cadre du jeu, de meurtre ou de suicide sur les lieux mêmes. À l'intérieur, les casinos possèdent leur propre service de sécurité. La police municipale s'occupe de ce qui se passe à l'extérieur. Je n'ai pas pu obtenir ni la raison exacte ni les motifs qui ont conduit à adopter cette modification de juridiction.

Le monsieur qui m'a répondu à la SQ ne savait ni qui je suis ni ce que je connais du jeu. Assurément, car il a bien pris le temps de m'expliquer que les gens qui se suicident ont des problèmes parallèles les ayant conduits au jeu. Il m'a conseillé d'appeler le «Centre québécois de l'excellence, qui pourra bien m'informer, et je serai à même de faire plus équitablement la part des choses ». Il a aussi bien pris soin de me rassurer : «Loto-Québec verse beaucoup d'argent à la Fondation Mise sur toi qui, elle, est active sur le plan de la prévention. »

C'est ce jour-là que j'ai compris que le citoyen moyen n'est pas seul à ignorer la gestion malsaine de cet empire. Même les membres du corps policier sont touchés par la désinformation.

Je poursuivis donc mes recherches afin d'obtenir des réponses à mes questions. Y a-t-il bel et bien un nombre inquiétant de personnes qui tentent de se suicider ? Où obtenir les chiffres ? Je prends contact avec le ministère de la Sécurité publique. D'une boîte vocale à l'autre, on finit par m'adresser à la Régie des alcools, des courses et des jeux, qui, selon le ministère, devrait détenir ce type de statistiques. À la Régie, on ne peut absolument pas me donner cette information et on me renvoie au CQEPTJ...

Évidemment, dans les règles de l'art du « tablettage d'État », il n'y a, en fin de compte, aucune statistique officiellement disponible concernant les tentatives de suicide. Si elles existent, les chiffres sont bien gardés et celui qui les détient reste très anonyme. Cela dit, Loto-Québec admet avoir recensé trente-trois cas de détresse, mais il est pratiquement impossible d'avoir plus de détails.

Par contre, je découvre sur le site Internet de Loto-Québec un tableau des interventions ambulancières des trois casinos avec la liste des motifs répertoriés. Par exemple : chute, faiblesse, ébriété ou intoxication, problèmes respiratoires, blessures, etc.

En lisant un article de Jean-François Plante, j'apprends que mes questions ne sont pas très originales. Un certain Bill Clennet (le même Bill Clennet que Jean Chrétien a empoigné à la gorge en février 1996) s'est interrogé bien avant moi et il a porté sa cause jusqu'à la Cour supérieure du Québec. En vertu de la Loi sur l'accès à l'information, l'activiste de Gatineau et son avocat ont tenté d'obtenir les mêmes informations que moi, mais avec une méthode bien moins naïve que la mienne !

Ils ont d'abord fait accepter leur revendication par la Cour du Québec. Puis ils ont perdu en Cour supérieure pour ensuite faire appel. Le juge Larouche a tranché en faveur de la Commission d'accès à l'information du Québec (CAIQ), qui refuse de fournir les sombres documents. Voici les deux arguments retenus : « Premièrement, les documents souhaités ont été obtenus par un agent de la paix. Deuxièmement, la divulgation des documents dévoilerait les méthodes d'enquête relativement aux fraudes et au crime organisé[*]. » Certainement, cela serait gravement embarrassant. Sûrement pas parce qu'ils sont dignes du FBI, mais bien plus par ce que l'on pourrait y découvrir, comme les méthodes utilisées dans le cas suivant, par exemple.

Dans un de ces brillants articles, Yves Boisvert[**], journaliste à *La Presse,* accusa le Casino de Montréal d'hypocrisie et de complicité avec les *shylocks.* Ces fameux prêteurs à gages qui serpentent sournoisement dans la maison de jeu, guettant une proie vulnérable pour lui offrir des sous à 1200 % d'intérêt annuel. Oui, c'est le vrai taux !

À la suite de cette accusation, Alain Cousineau, président de Loto-Québec, a insisté pour corriger le tir et nous rassurer : « [...] tout au long de l'enquête qui a mené à l'arrestation de 16 prêteurs usuraires en

---

[*] Jean-François Plante, *Le Droit,* mercredi 17 mai 2006, p. 7.
[**] *La Presse,* jeudi 17 février 2005.

juin 2003, le casino de Montréal a collaboré étroitement avec le service de police de la ville [...]. » Il affirme que le casino ne s'est pas rendu coupable de complicité tacite ni d'hypocrisie.

Collaborer, c'est un moindre mal pour sauver l'image. Ce n'est pas le casino qui a nettoyé le plancher, c'est la police qui a fait son travail. Et c'est une chance parce que la sécurité dans les casinos n'est plus sous la juridiction de la police depuis 2002 !

L'hypocrisie et la complicité sont les termes exacts à utiliser dans ce cas. Lorsque le juge Jean-Pierre Bonin a rendu son jugement dans le procès Théodore*, il a tenu à préciser que le casino a semblé subitement se rappeler qu'il avait des preuves vidéo des activités criminelles. Elle a là la preuve que le casino « [...] a laissé faire aussi longtemps qu'il a pu ». Les enquêteurs le savaient.

Pour reprendre une réplique de De Niro dans le film *Casino*** : « Ou bien ils sont incompétents ou bien ils sont complices. » « [...] et engager des incompétents serait la forme de complicité la plus achevée et la plus hypocrite... », écrit Boisvert.

Isabelle Lortie me raconte : « Lors du scandale Théodore, les employés ont été convoqués (sur plusieurs jours, évidemment) à une réunion où le directeur du Casino de Montréal tenta de clarifier, entre autres, le cas des prêteurs sur gages. » « Une tolérance zéro est à venir », a-t-il affirmé. « Progressivement, bien sûr... »

---

* Cour du Québec, chambre criminelle et pénale, n° : 500-01-014295-031, 15 février 2005.
** *Casino*, film de Martin Scorcese, Universal Pictures, 1995.

Pourquoi? Parce qu'il ne faut pas les brusquer? Isabelle m'assure que dès le lendemain et encore aujourd'hui, les *shylocks* sont très actifs au Casino de Montréal. «Ils sont tolérés, ils font partie du paysage, me dit-elle. Ils [les dirigeants] tolèrent et, de cette façon, encouragent l'endettement des joueurs compulsifs.» Tout le monde connaît les prêteurs sur gages. Employés et joueurs.

Quant à la prévention du suicide en raison du jeu, elle relève de la responsabilité de Loto-Québec. Bonjour l'objectivité. Pression publique oblige. Loto-Québec est gérée par les règlements de la loi créant la Régie des alcools, des courses et des jeux, mais sa responsabilité est indépendante de la Régie.

Je tente ici un parallèle : la Société des alcools du Québec porte elle aussi une responsabilité dans la conscientisation de la société en général. Elle a certainement un rôle important à jouer, puisqu'elle est promotrice de l'alcool au Québec et qu'elle est une société d'État. Mais si, en plus, elle devait assurer la prévention du suicide chez les alcooliques, ou subventionner des centres de recherche et de prévention contre la violence conjugale, on douterait gravement de sa transparence.

Jouer sur les mots

Puisque les études portant sur le taux de dépendance au jeu dans la population donnent des résultats contradictoires, que des erreurs méthodologiques sont régulièrement soulevées, et qu'il n'existe que très peu d'études indépendantes sur les ravages du jeu au Québec, j'ai décidé de limiter les statistiques et les chiffres. J'en utiliserai le moins possible. Ceux qui sont à ma disposition ont presque tous été obtenus auprès de Loto-Québec. Pas directement par eux, mais bien par le Centre québécois de l'excellence, ce fameux centre qui n'est pas officiellement relié à la société d'État, malgré les millions reçus en subvention. D'ailleurs, Loto-Québec obtient, toujours au moment opportun, l'intervention dans les médias des chercheurs de ce centre. Ces derniers sont toujours fidèles au poste pour soutenir les projets de leur généreux donateur. Heureusement, on trouve tout de même des chiffres provenant de Statistique Canada et de Léger marketing, qui ont réalisé une étude en 2001 dans le cadre du Forum sur le jeu pathologique.

Le professeur Ladouceur, le fameux chercheur à la tête du Centre d'excellence, estime que 2,1 % de la population serait aux prises avec des problèmes de jeu compulsif. Ce taux inclut bien sûr les joueurs pathologiques et les joueurs problématiques, mais exclut les joueurs symptomatiques. Avant de reconnaître qu'une maladie nous envahit apparaissent des symptômes parfois subtils. Le fait de ne pas identifier le mal qui nous ronge tout doucement ne fait pas de nous des personnes en pleine santé. Les joueurs en train de développer leur dépendance ne sont pas moins contaminés. Dans le cas d'une épidémie, ils seraient mis en quarantaine. Ils devraient donc malheureusement faire partie du calcul.

Ladouceur a longtemps utilisé le terme «joueur excessif». En effet, M. Ladouceur préfère le terme excessif à celui de compulsif. C'est plus doux. Et cela fait appel à la notion de modération, comme pour l'alcool. Mais Loto-Québec et le professeur sont revenus au terme joueur pathologique et, pour cette raison, ils évoquent désormais un très faible taux de 0,8 % de joueurs présentant une pathologie. Ils ont sans doute évalué qu'il était préférable de communiquer un pourcentage plus faible que d'adoucir le vocabulaire. Cela dit, l'estimation première de 2,1 % équivaut à cent quarante mille individus environ.

Selon Statistique Canada*, ce serait plutôt de 4,6 à 5 % de la population qui souffrirait de graves problèmes de jeu pathologique. Lors du sondage, la question posée était la suivante : « Sachant qu'un joueur compulsif est dépendant et obsédé par le jeu et qu'il ne pense qu'à retourner jouer pour récupérer ses pertes, estimez-vous être un joueur / une joueuse compulsif(ve) ? »

Il faut donc comprendre que 5 % des Québécois se considèrent eux-mêmes joueurs pathologiques. Ils ont admis ouvertement, officiellement, avoir des problèmes de jeux. Mais ce pourcentage sous-estime assurément la réalité. Car le fait d'admettre sa dépendance ou sa toxicomanie représente un pas extrêmement difficile à franchir. Il faut être loin dans sa dépendance pour avouer sa faiblesse. Il y a plusieurs étapes avant celle-ci, et parmi les gens qui ont répondu par la négative, ceux qui sont des joueurs ne sont pas tous des joueurs non compulsifs. Une étude de la Régie régionale de

---

* Rapport *Les Canadiens et les jeux d'argent*, Presse canadienne / Léger Marketing, 2001.

la santé et des services sociaux de Montréal-Centre* est venue appuyer ces derniers chiffres et montre que les personnes atteintes seraient plus du double que ce qu'indique le chiffre précédemment annoncé, soit un minimum de 300 000 individus.

Dans *Gambling in America : Costs and Benefits***, Earl L. Grinols présente la thèse selon laquelle les problèmes sociaux découlant du jeu pathologique seraient très nombreux : augmentation de la criminalité, de la violence domestique et du mauvais traitement aux enfants ; temps de travail perdu ; faillites, privations financières des familles des joueurs pathologiques. Pour cet économiste, les problèmes, dont il chiffre le coût à 54 milliards de dollars annuellement, auraient atteint des dimensions épidémiques. Grinols évalue les bénéfices de l'apport économique des casinos à 46 dollars par joueur alors que les coûts sociaux sont à la hausse et représenteraient 289 dollars par joueur !

Il écrit : «… les dépenses annuelles reliées aux problèmes associés au jeu pathologique sont comparables à la valeur de la production perdue lors d'une récession économique de quatre ans… Ce sont tous les contribuables qui doivent payer la note pour les problèmes d'une minorité… » Alors, maintenant, lorsque quelqu'un dit «C'est tant mieux si un "B.S." redonne son chèque au

---

* Chevalier, S. et Allard, D. *Jeu pathologique et joueurs problématiques. Le jeu à Montréal,* Direction de la santé publique, 2001. (http://www.jeu-compulsif.info/documents/jeu-pathologique-mtlcentre.pdf).

** Grinols, Earl L. *Gambling in America : Costs and Benefits*, Cambridge University Press, 2004.

gouvernement », je lui réponds qu'en fait, son chèque nous coûte beaucoup plus cher qu'il ne le devrait.

Toujours selon M. Grinols : « Les dépenses sociales reliées au jeu pathologique représenteraient près de la moitié de celles qui sont reliées à des problèmes de toxicomanie ». Comme les casinos ont davantage d'impacts économiques et sociaux négatifs que positifs, ces entreprises devraient, selon lui, être mieux réglementées et contrôlées. « Le besoin de l'intervention publique arrive précisément quand il y a une telle disproportion entre les coûts sociaux et les bénéfices que peut en tirer l'ensemble de la société », ajoute-t-il[*].

Cette analyse froide et strictement économique est très intéressante. On peut prétendre, à la lumière de ses conclusions, qu'« il est très probable qu'au Québec, où le taux de joueurs compulsifs est probablement le plus élevé au monde, les coûts sociaux soient autant ou même plus élevés[**]... ».

Les conséquences du jeu compulsif nous coûteraient au bas mot, de 2,5 à 5 milliards de dollars par année au Québec, selon le journaliste Alec Castonguay[***]. En fait, chacun des 140 000 joueurs compulsifs du Québec coûterait de 18 000 à 56 000 dollars par année à la société québécoise, ou plutôt de 26 000 à 122 000 dollars, si on se fie aux chiffres de Statistique Canada.

---

[*] Grinols a été membre du conseil aviseur en matière économique pour le président Ronald Reagan. Il a aussi témoigné devant le Congrès ainsi que dans près de deux douzaines de législatures d'État et des comités législatifs sur « l'économie » de jeu.

[**] Alain Dubois, *Jeu Compulsif & Toxico News*, 24 mars 2005.

[***] *Le Devoir*, 10 avril 2004.

On obtient ces chiffres grâce à la recherche de l'économiste Ernie Goss et du professeur en droit Edward Morse, de l'université Creighton. Cette étude américaine indépendante nous présente les coûts sociaux engendrés par le jeu pathologique et nous apprend que de 1990 à 2000, les comtés américains possédant une maison de jeu ont affiché un nombre de faillites personnelles deux fois plus élevé que les autres régions urbaines en tous points semblables, économiquement. Les auteurs de *The Impact of Casino Gambling on Bankruptcy Rates : A County Level Analysis* ont minutieusement analysé plus de deux cent cinquante comtés américains avec ou sans casino pour en arriver à cette conclusion.

Malheureusement, pour bien chiffrer les coûts sociaux liés à la légalisation des jeux de hasard et d'argent, je suis dans l'obligation de ne citer que des études américaines, car aucune étude québécoise crédible n'existe encore.

Le meilleur exemple de l'invalidité des chiffres du Centre d'excellence est cette fameuse étude sur l'ouverture du casino de Hull, qui soutient que cette création n'a pas contribué à l'augmentation du jeu pathologique en périphérie. Cette étude complètement bidon s'est échelonnée sur cinq ans. Le professeur Ladouceur a perdu, en chemin, la trace de 75 % des personnes interrogées. Sur les huit cent dix qui résidaient à Hull, il n'en restait que deux cents. Que sont devenues les six cent dix autres ? Se sont-elles fait couper le téléphone ? Ont-elles déménagé parce qu'elles ont perdu leur maison ? Certaines se sont-elles enlevé la vie ? Pour une étude chargée d'évaluer la hausse du jeu pathologique, idéalement, on interroge les mêmes personnes !

D'ailleurs, sa conclusion selon laquelle l'implantation du casino n'a eu que très peu d'effets sur l'augmentation des problèmes de jeu va à l'encontre d'une étude beaucoup plus importante publiée par la Direction de la santé publique de l'Outaouais. Réalisée en 2003, celle-ci révélait clairement qu'il y a près de six mille personnes aux prises avec des problèmes sérieux.

Comme l'étude de Ladouceur a provoqué beaucoup de suspicion sur la valeur scientifique et la transparence de ses travaux, des journalistes ont demandé à examiner toutes ses études et les méthodes employées. Malheureusement, Loto-Québec ne retrouve plus les études, qu'elle a pourtant financées. Elle a déclaré qu'elle avait simplement exigé que les travaux soient publiés dans une revue scientifique. Encore de l'argent bien investi ! La coalition Emjeu a quant à elle jugé bon de porter plainte en déontologie sur cette étude nettement ambiguë. La plainte fut rejetée par le vice-recteur de l'Université Laval dans un long plaidoyer principalement axé sur la réputation de M. Ladouceur. Les questions centrales de cette plainte restent sans réponses.

De 1995 à 2000, la société d'État a versé près de 2 millions de dollars à son centre de recherche, lequel est en mesure de nous fournir des articles scientifiques mais pas d'études. Et on ne peut même pas garantir que ces articles ont été payés avec les subventions de Loto-Québec. On n'est pas non plus en mesure de nous révéler la teneur des mandats de ces chercheurs.

Par contre, d'autres chercheurs québécois se penchent sur les problèmes de jeux compulsifs des immigrants du Québec, notamment sur les représentations et pratiques des jeux dans leur culture : entre autres, les ethnies maghrébine, centre-américaine, haïtienne et chinoise. En ce qui concerne les immigrants d'Amérique centrale, on peut lire : « Le jeu a une fonction sociale dans leur pays d'origine. Puisque tout le monde joue, la frontière entre le jeu social et pathologique est inexistante[*]. » Ça, c'est dangereux.

On doit ce regard pertinent à la chercheuse Élisabeth Papineau. Les problèmes éprouvés par les immigrants au moment de leur intégration dans leur nouveau pays peuvent mener au jeu pathologique. Ils arrivent souvent ici sans argent, dans un monde qui leur est étranger. Elle affirme que leur perte de statut les fait envisager le jeu de hasard comme l'ultime façon d'accomplir leur rêve d'enrichissement[**]. Le rêve américain.

---

[*] Papineau, É., Chevalier, S., Belhassen, A., Sun, F., Campeau, L., Boisvert, Y. et D. Helly, *Étude exploratoire sur les perceptions et les habitudes de quatre communautés culturelles de Montréal en matière de jeux de hasard et d'argent*, rapport de recherche, INRS-UCS, 2005 (http://www.inrs-ucs.uquebec.ca/pdf/JeuxDeHasard.pdf).

[**] Papineau, É., « Le jeu pathologique dans la communauté chinoise de Montréal, une vision anthropologique », *Loisirs et société*, 24(2), PUQ, 2001, p. 557-582.

CONCLUSION

Le bon père de famille

Combien de fois se fait-on offrir « un petit gratteux avec ça » ou « un super 7 avec extra » ? Est-ce qu'il y a juste une poignée de gens qui en ont assez de répondre « non merci » en pensant automatiquement à la fameuse publicité où la comédienne se mord les doigts d'avoir dit « non merci ». Je n'ai aucune dépendance au jeu, mais les rares fois où j'ai répondu « non merci », j'ai eu un peu l'impression de passer à côté de ma chance. Il est facile d'imaginer le combat intérieur de quiconque ayant une tendance au jeu compulsif. Combien investit Loto-Québec pour obliger les caissières des dépanneurs à nous offrir leurs produits ? Existera-t-il toujours cette façon d'offrir à la population la chance de s'en sortir ?

Lorsque le gouvernement a décidé de prendre le contrôle des revenus du crime organisé sous prétexte que l'industrie illégale des jeux de hasard devenait nuisible et dangereuse pour la population, l'État s'est investi corps et âme à gérer de façon propre et intègre cette potentielle vache à lait. On sait pourtant que le gouvernement lui-même a été complice du gangstérisme des vidéopokers. Pendant que les procureurs de la couronne du Québec tentaient de poursuivre les tenanciers de bars, l'ancienne Régie des loteries du Québec continuait d'émettre des permis pour ces machines. La loi prévoit qu'il ne doit pas y avoir plus de cinq appareils par site d'exploitation. Mais plusieurs ont contourné cette règle. Ils ont trouvé la faille et obtenu des licences séparées pour des locaux ayant plus d'une entrée ou des murs communs mais des adresses civiques différentes*.

La nouvelle régie prit possession du marché devenu blanc comme par magie. Le gouvernement justifiait sa prise de contrôle par le risque que représentait le marché noir criminel, mais il avait aussi peur que l'argent du peuple québécois soit dilapidé ailleurs que dans la belle province. En Ontario, aux États-Unis, sur le marché noir. Il fallait s'approprier l'argent des joueurs compulsifs et de ceux en devenir, l'argent des gros joueurs et toutes les sommes susceptibles de fuir ailleurs que dans les poches de l'État. Le danger des jeux d'argent était déjà évident et inévitable.

Une fois les loteries contrôlées par l'État, celui-ci a eu toute la liberté de s'émanciper, et la grenouille s'est vite empressée de se faire plus grosse que le bœuf. En dix ans, on ne créa pas un mais trois casinos. On installa quatorze mille machines à sous dans les bars et les tavernes des régions.

---

* « Les appareils de loterie vidéo – une taxe sur les pauvres », Alexander Norris, 72ᵉ Congrès de l'ACFAS, Montréal, le 13 mai 2004.

Pourtant, en 1984, le directeur de Loto-Québec de l'époque, David Clark, avait déclaré : «Nous avons atteint un point de saturation. Si nous poussions la machine des loteries plus loin, cela entraînerait inévitablement des problèmes socio-économiques très graves.» En 1984, il n'y avait aucun casino et aucune machine à sous, uniquement des «gratteux» et des loteries. Ils avaient donc déjà tous les éléments de preuve pour prévoir le désastre. Pour prévoir le profit aussi, malheureusement.

Au fil des ans, les casinos se sont agrandis. Après cinq ans, le Casino de Charlevoix doublait sa superficie, le nombre de ses appareils de loterie vidéo et de ses tables de jeux. On parle encore de nouveau développement, question de répondre à la demande qu'ils ont créée en allant chercher, dans les résidences de personnes âgées, leurs clientèles lucratives : «Il nous faut repenser le concept, trouver des façons pour impressionner notre clientèle, la surprendre davantage[*]», a dit François Tremblay, directeur du Casino de Charlevoix.

M. Sol Boxenbaum, critique des jeux de hasard et cofondateur de Viva Consulting (où il œuvre à titre de protecteur des consommateurs), qui a donné aux employés des casinos privés de Saskatchewan une formation pour détecter les signes de pathologie chez les joueurs, la propose également aux casinos publics du Québec depuis 1998. M. Daniel Dubeau, à l'époque directeur de la recherche et de la prévention du jeu

---

[*] Desmeules, Sylvain. «Nos régions», *Le Soleil*, 20 décembre 2006, p. 20.

pathologique pour Loto-Québec, à qui M. Boxenbaum proposait chaque année ses services, ne cessait de lui répondre : « Oui, mais pas maintenant. »

En 2002, ce même M. Dubeau a déclaré devant l'Assemblée nationale, en pleine Commission permanente sur les finances publiques, que tous les employés des casinos étaient formés pour reconnaître les problèmes de jeu chez les joueurs. Le jour suivant, M. Boxenbaum l'a joint pour savoir qui donnait cette formation. Embarrassé, M. Dubeau aurait répondu : « Personne encore. » Boxenbaum lui a donc rappelé son affirmation devant les ministres voulant que Loto-Québec formait tous ses employés. « Par formés, j'ai voulu dire "seront formés" », aurait-il rétorqué.

Depuis cette confusion, M. Boxenbaum a appelé quelques croupiers du Casino de Montréal et a obtenu plusieurs versions contradictoires. Certains affirment avoir assisté à une très petite séance qui leur en a très peu appris sur la réalité du jeu compulsif. D'autres clament qu'ils ont eu droit à une journée complète animée par un psychologue. Si formations il y a eu, elles ont probablement été offertes par le Centre québécois d'excellence pour la prévention et le traitement du jeu, subventionné principalement par Loto-Québec par l'entremise de la Fondation Mise sur toi. Fameuse fondation dont M. Boxenbaum n'a jamais pu savoir le nom de la tête dirigeante. N'existe-t-il pas ici un flagrant conflit d'intérêt. Un manque total de transparence ? Cette « prétendue » formation n'aura servi qu'à redorer l'image de la société d'État, prouvant ainsi qu'elle fait des gestes concrets pour minimiser les ravages du jeu compulsif. Si Loto-Québec est sincère dans sa volonté de sensibilisation et si la société désire réellement apaiser l'inquiétude collective, pourquoi ne pas offrir une formation rigoureuse et uniforme ? Pourquoi ne pas faire appel à un expert indépendant comme Sol Boxenbaum, par exemple ? Veut-on à ce point tout contrôler au point de charger le loup de garder les moutons ?

M. Boxenbaum pense que les casinos auraient depuis longtemps fermé leurs portes s'ils dépendaient réellement (et uniquement) des touristes et des joueurs dits « sociaux », comme le proclament les dirigeants des casinos et les porte-parole de Loto-Québec. On parle ici des visiteurs annuels et occasionnels frétillant comme lors d'une visite à La Ronde. Malheureusement, ces curieux qui passent pour voir et goûter aux plaisirs d'une maison de jeu ne sont pas représentatifs de la clientèle d'un casino.

La réalité est tout autre. Jour après jour, les tables se remplissent des mêmes joueurs ; des personnes âgées, en majorité des femmes, actionnent les bras des machines à sous, et la plupart jouent sur deux ou trois machines à la fois. « En quoi est-ce difficile pour le personnel d'un casino de constater que quelqu'un qui joue sur trois machines en même temps a un problème de jeu ? » s'interroge M. Boxenbaum.

La même attitude hypocrite prévaut lorsqu'un joueur s'inscrit au programme d'autoexclusion de la Société des casinos du Québec. Après sa « convalescence », qui varie entre six mois et cinq ans, il revient souvent le jour même où prend fin l'entente. On lui réserve alors un accueil des plus chaleureux : «Heureux de vous revoir Monsieur Chose!» Personne ne vérifie si ce monsieur a suivi une thérapie, s'il est apte à passer du temps dans un casino. Et s'il est maintenant capable de pratiquer un jeu dit «responsable», pour emprunter une expression chère à Loto-Québec. Lui a-t-on fait remplir un questionnaire afin d'évaluer les dangers pour sa santé? Un intervenant qualifié l'a-t-il rencontré pour s'assurer de la stabilité de son état d'esprit? Absolument pas! Mais on s'empressera de renouveler sa carte de Membre Casino Privilèges. D'ailleurs, le programme d'autoexclusion n'est pas efficace à 100 %. À plusieurs reprises, j'ai été témoin que des joueurs autoexclus ont eu amplement le temps de perdre plusieurs centaines et même milliers de dollars avant d'être repérés par la sécurité et escortés vers la sortie. Au moins, l'expulsion n'est pas négociable.

On récupère, on récupère!

À l'automne 2005, Loto-Québec annonçait son désir de déménager le Casino de Montréal dans le quartier Pointe-Saint-Charles. Le complexe tel qu'imaginé devait intégrer une salle de spectacle de deux mille cinq cents places, un hôtel de trois cents chambres, des espaces de création et de diffusion pour artistes, un spa, des locaux commerciaux, un centre de foires, une marina au bassin Wellington et une scène extérieure qui aurait servi notamment à accueillir les chapiteaux du Cirque du Soleil. Il m'était difficile de m'imaginer l'endroit, tant cela me paraissait disproportionné. Je pouvais tout de même distinguer, dans l'ombre de ce monstre, l'Accueil Bonneau,

Portage et la Maison du Père. Je les voyais demander des subventions au gouvernement afin d'agrandir eux aussi, pour répondre à la nouvelle demande. Emplacement stratégique certes, me disais-je.

Bien entendu, ce projet abandonné non sans ambiguïté avait servi de couverture pour en faire passer un autre tout aussi lucratif, sans grande construction ni spectacle culturel. Sans le *glamour* ni l'attrait touristique. L'ouverture de cinq mini-casinos partout dans la province pour déménager les mille cinq cents appareils de vidéopoker que Loto-Québec s'est engagée à retirer des bars (où ils sont le moins payants) pour «diminuer» l'offre de jeu. En fait, la société d'État va créer cinq casinos régionaux (de proximité). D'un côté, on diminue les appâts et de l'autre, on augmente les grands centres. Mais comme les trois casinos existants sont insuffisants pour compenser la perte de profits de ce millier d'ALV qu'ils disent avoir sacrifiés, ils ajouteront de nouvelles machines plus performantes et donc plus rentables. Par exemple, au nouveau casino de Laval, il y en aura mille trois cents. La cinquième génération verra finalement le jour.

Recours collectif

Maître Brochu est un ex-joueur compulsif qui a tout perdu à la suite de sa dépendance au jeu. Il est l'initiateur d'un recours collectif contre Loto-Québec pour la forcer à assumer sa part de responsabilité face aux joueurs compulsifs. Il exige un remboursement en dommages et intérêts des thérapies, entre autres, qu'ils ont dû entreprendre pour soigner leur dépendance. La preuve repose sur un brillant rapport qui explique le fonctionnement des appareils de loteries vidéos et leur intelligence. Il s'agit là d'une première mondiale qui plonge la société d'État dans l'eau chaude, bouillante même !

En effet, notre puissante société d'État fait partie de la World Lottery Association. Un peu comme l'ONU du *gambling*. Loto-Québec possède d'ailleurs l'importante fonction de secrétaire général. Le simple fait qu'un juge ait accepté la requête constitue un précédent à l'échelle mondiale. Si Me Brochu obtient gain de cause, c'est à l'échelle planétaire que l'industrie du *gambling* sera gravement touchée.

Libre

Puisqu'il est pratiquement impossible de faire disparaître la forteresse des loteries, des casinos et des machines, il faut au moins imaginer des solutions pour réduire au maximum les effets négatifs du jeu.

Les solutions sont simples. Tout d'abord, interdire toute publicité ou sollicitation, comme pour la cigarette, car Loto-Québec avoue qu'elle ne peut pas prévoir qui développera une dépendance. Cela implique donc qu'il n'y aurait non seulement plus de publicités et de commandites dans les festivals, mais aussi plus aucune pollution télévisuelle telle que le gala Célébration, entre autres. Ainsi, les profits de Loto-Québec proviendront peut-être plus réellement de ceux et celles qui achètent un petit « gratteux » ou un 6 / 49 *à l'occasion*. De ceux et celles qui ne sont pas affectés par leur campagne de marketing qui nous rappelle tous les jours notre manque d'argent, notre rang dans l'échelle sociale, les rêves que nous ne pouvons nous offrir...

Cela implique aussi l'arrêt immédiat des voyages de jeu organisés pour les retraités de toute la province, ces sorties commanditées par Loto-Québec, qui leur paye le transport et le repas, avec en prime quelques jetons. Et le retrait de tout le système des cartes de membre avec leurs ridicules points bonis. C'est un outil pour donner l'impression aux joueurs qu'ils gagnent plus et perdent moins. Une tactique pernicieuse pour profiter encore plus de la naïveté des joueurs.

Il faudrait aussi diminuer les heures d'ouverture. Pourquoi pas comme celles des bars? À trois heures du matin, tout le monde dehors!

Le gouvernement doit par la même occasion refuser toute nouvelle demande d'expansion, d'agrandissement, de nouvelles constructions, de déménagement de casinos dans les quartiers défavorisés camouflés en centre de divertissement bidon. Tout autant qu'il doit s'abstenir d'exiger de plus gros profits de son *entreprise privée*. Ce qu'il fait pratiquement chaque année.

Le plus important est toutefois le retrait de toutes les machines de destruction massive de tous les bars dans toute la province. Et pas progressivement. D'un seul coup. Loto-Québec a d'ailleurs suffisamment d'argent pour assumer les pertes des tenanciers qu'elle a rendus eux aussi accros dans la foulée.

Mais par-dessus tout, il faudrait former le personnel des casinos afin de le rendre apte à intervenir rapidement auprès de la clientèle. Le faire former par des personnes objectives non subventionnées par Loto-Québec. Il faut absolument donner aux employés le droit de porter secours, de refuser une mise, d'arrêter le jeu, de demander de l'aide. Ne jamais plus exiger d'eux d'assumer la détresse et le malheur qui se déploient sous leurs yeux.

Pourquoi aussi ne pas imiter plusieurs pays du monde et refuser l'entrée au casino aux habitants de la ville ? Si les profits reposent surtout sur le tourisme, comme ils le disent, ça ne fera que du bien à la petite région de Charlevoix et un grand bien aux Montréalais défavorisés. Peu de gens de Westmount se plaindraient d'une telle politique ! Selon la logique et les arguments de la société d'État, l'industrie touristique de *gambling* ne s'en trouverait pas affectée. Pas plus au Lac-Leamy (Gatineau) qu'à La Malbaie.

Ce sont des solutions facilement réalisables et réalistes. Pas besoin de faire des études à cent millions de dollars pour se demander combien de gens on pourra sauver et combien cela coûtera en moins à la société. Cela coûtera moins cher aux contribuables. Il y aura moins de *gamblers*. Il y aura moins de problèmes. Le contraire est impossible. Alors l'amélioration est garantie à 100 %, pourquoi ne pas faire le changement. Parce que le gouvernement est dépendant du 3 % de son budget annuel ?

La Société de l'assurance automobile du Québec (SAAQ), elle, affiche le message « La vitesse tue », mais elle ne s'en contente pas : elle produit des publicités troublantes qui nous marquent, qui nous font réellement réfléchir et qui reflètent fidèlement la réalité. On peut dire qu'elle agit de façon responsable pour prévenir les excès, les dangers, les risques et les malheureuses conséquences. Pourtant, ce n'est pas la SAAQ qui construit les voitures. Loto-Québec est totalement responsable de la création, de la publicité, de la promotion du jeu, y compris des pathologies qu'il engendre, et pourtant, le seul slogan qu'elle a trouvé pour se donner bonne conscience, c'est : « Mise sur toi. » Inutile de mentionner les publicités télévisuelles. Je n'en ai retenu aucune d'efficace. J'imagine sans peine une publicité choc où l'on verrait un bambin hurler dans une voiture pendant que papa et maman misent en vain dans une machine à sous, le visage illuminé de plaisir.

Mon dernier mot

Au bout du compte, tout est une question de choix. La vie et le sort que l'on se réserve n'écriront notre histoire qu'à travers les chemins que nous auront choisis. Les lieux où ils nous mènent un jour et ceux où l'on n'ira jamais. Aujourd'hui, j'ai choisi la vie. Celle que je m'efforce de rendre belle et bonne.

Les choix que j'avais faits, de ma naissance jusqu'à mes dix-huit ans, m'ont amenée là où les routes se perdent entre le majestueux fleuve et les montagnes en dos de baleine. J'y ai chaque jour fréquenté des chemins hasardeux, truffés d'embûches. C'est du pays imaginaire jusqu'aux ténèbres que mes choix, mais aussi ceux de la société, me menèrent tout au long de ces années de ma jeune vie d'adulte. Ce voyage en enfer est enfin terminé. J'espère que nos choix prochains ne nous y conduiront plus jamais.

Merci à

Jean Leblond, pour ton éblouissante intelligence.

Alain Dubois : sans ta générosité et ta patience, ce livre n'existerait pas.

Sol Boxenbaum, pour tes connaissances et ton charisme.

Jean Métayer, pour ton appui constant.

Emjeu, pour avoir bien voulu m'aider et de m'avoir m'acceptée.

Élisabeth Papineau.

Raymond Viger, du journal *Reflet de société*.

Pierre Monerie et Michel Marcel Quenot, pour votre sincère disponibilité et votre poésie.

Isabelle Lortie, Robert Clermont et Maryse Érika Bergeron.

Martin Balthazar, Jean Baril et Annie Ouellet.

Maman Sylvie, pour ton objectivité maternelle.

Merci à Zackary, qui m'apprend à devenir maman et me ramène à l'essentiel. Merci à mon beau Bruno qui était là et qui y est encore.

Cet ouvrage a été composé en Dante 13/15
et achevé d'imprimer en février 2007 sur les presses de
Quebecor World Saint-Romuald, Canada.

Imprimé sur du papier 100% postconsommation, traité sans chlore,
accrédité Éco-Logo et fait à partir de biogaz.

certifié

procédé
sans
chlore

100 % post-
consommation

PERMANENT
archives
permanentes

énergie
biogaz